子どもの心のコーチング

一人で考え、一人でできる子の育て方

菅原裕子

PHP文庫

JN265829

○本表紙図柄＝ロゼッタ・ストーン（大英博物館蔵）
○本表紙デザイン＋紋章＝上田晃郷

はじめに

私の仕事は人材開発のコンサルタントです。組織や企業において、人のもつ能力を伸ばし、より働きやすい環境をつくるために働きます。

時には会議室で何時間も話し合いを続け、組織が抱える問題を解決させる努力をお手伝いすることもあります。時には、社員の具体的な能力を開発するために研修をすることもあります。また、効果的な電話対応などを指導するために現場に入ることもあります。

この仕事をしていると、人間が本来もっている能力を発揮させることの重要性をひしひしと感じます。何かができる人を、私たちはよく「できる人」と別格におき、「できない人」と区別します。もともと「できる人」と「できない人」がいるのでしょうか。

そんなことはありません。できる人はその能力を開発され、できない人はその能力が開発されていないだけなのです。

たとえば、私の仕事のひとつにロジカルプレゼンテーション研修というのがあります。ロジカルプレゼンテーションというのは、人前で論理的に話をすることをいいます。聴衆を前に、また、一対一で論理的に話ができる能力は、現在の仕事環境においては最重要科目のひとつです。

研修の際によくあることは、初日のプレゼンテーションにおいてまったく印象に残らないしどろもどろのプレゼンテーションをしていた人が、二日間の集中した訓練の結果、人が変わったように人の心をつかむ話をするようになることです。能力の開発が起こったのです。本来その人がもっていた才能が解放されたのです。

そのように私たち人間は、その環境が整えば、またその場が与えられれば、本来もっているものを発揮することができるのです。そして、人の能力を開発することを「コーチング」といい、その場を提供したり、能力の開発をお手伝いする人を「コーチ」と呼びます。

その考え方を子育てに応用することを提案し始めたのが一九九五年ごろでした。「ハートフルコミュニケーション」という名前のプログラムとしてワークショップを開催し、日本全国のPTAなどの講演会でお話をし、同じ考えのもとに活動をしようというハートフルコーチを養成してきました。小冊子「ハートフルコミュニケーション」は一万人近い人たちの子育てや生き方を応援してきました。

ハートフルコミュニケーションは、子どもの「生きる力」を開発しようと提案しています。生きる力を開発された子どもは、いきいきと輝く目をもち、積極的に生活に取り組もうとします。

また、親自身のコーチとしての能力開発も同時に提案しています。親がコーチとしてのあり方を学ぶことは、親自身の人生の充実を意味します。子どもの生きる力を育てることと、親がコーチとして成長することは別々には起こりません。親が成長しているとき、子どもの生きる力は伸ばされるのです。

ハートフルコミュニケーションを通して多くの親たちと出会いました。彼らの悩みに耳を傾け、うまくいっていることから学び、一緒に考え、共に成長してきました。そしてこのたび、そのメッセージを一冊の本にまとめることができました。

たくさんの親たちの体験との出会いが、この本の出版を可能にしました。ハートフルコーチたちの応援がこの本の土台になっています。そして何より、私たちを親として受け入れ、誰よりも頼りにしてくれ、誰よりも愛してくれる子どもたちの思いが、このメッセージを世の中に送り出してくれました。

子どもたちの愛と信頼にこたえるために、そしてもっと大きな心で子どもたちを受け止められるようになるために前進したいと思います。

子どもの心のコーチング♥もくじ

第1章 親の役割は何？

第2章 子どもに教えたい3つの力

第3章 子どもを幸せにするしつけ

第4章 心を結ぶ聴き方・伝え方

第5章 親の幸せは自分でつくる

◆子どもからの自立

第１章

親の役割は何？

ハートフルコミュニケーションで目指すのは子どもの自立。
親はコーチになって、子どもの可能性を開き、社会へと送り出します。

1 ハートフルコミュニケーションで目指すのは子どもの自立

子どもにまつわる問題が年々増えています。凶悪犯罪の低年齢化、引きこもり、不登校、いじめ、家庭内暴力、子どもが被害者となる虐待……。

このような問題が起こると決まって、「今の子どもはしつけがされていない」「物事のよしあしがわかっていない」というようなことがいわれます。

一体、子どもたちはどうしてしまったのでしょう。我が子を殺してしまう若い親たちはどうしてしまったのでしょう。

これらのさまざまな問題や事件の根っこは、子どもが自立できていないことにあるようです。自立できていない子どもや、自立できないまま親になってしまった若い親たちが、問題を引き起こしているのです。そして、それは必ずしも彼らだけの問題ではなく、彼らを自立させることができない社会や親の問題でもあります。

今の世の中、あまりにも変化が激しく、大人である私たちもついていくのが難しいと感じることがあります。めまぐるしい変化の中で、子どもたちも複雑で多様な刺激にさらされています。

一見子どもたちは大人びていて、私たちの子ども時代とくらべると、はるかに速い成長をとげているように見えます。でも実際、中身はまったくその逆で、自立が充分でないまま、体験のともなわない情報のうずの中に放り出されているのです。

人間が成長するうえで刺激は必要です。ところが、その刺激が不適切なものだったり、度を越したものだったりするとどうでしょう。成長どころか、心身ともに危険にさらされます。

不都合なことに、外からの刺激を調整するのはとても難しいのです。

刺激の強いテレビ番組や雑誌は見せないなど、親の手が届くところでの物理的な制約はできるでしょう。でも、それは本当に子どもが幼いうちだけ。ある程度成長した子どもの行動を、親が完全に規制することはできません。

ましてや、人間関係などの社会心理的な刺激を調整することは不可能です。

唯一できるのは、子どもの側に刺激を受け止める能力を養うことです。度を越した、不適切な刺激がやってきても、それを拒否したり処理する能力が備わっていれば、子ども自身の力で問題を最小限に食い止めることができます。

その能力こそが「生きる力」であり、その力をもつ子どもが「自立した子ども」と言えるのです。

子どもたちの問題が続発している今、どうやら私たち親は、子どもの生きる力を養うことに成功はしていないようです。それどころか、反対に、子どもたちが自ら生きる力を養うことをさまたげているのではないでしょうか。愛と責任という大義名分のもとに、子どもの生活に干渉しすぎ、子どもの中に育つはずの力を育たなくしているのです。

社会がますます複雑になり、私たち親が育った時代よりはるかに高い情報処理能力や問題処理能力が必要とされているにもかかわらず、子どもたちはそれを学ぶ機会を与えられていないのです。

2
親の役割は子どもを思いのままに動かすこと？

娘が幼稚園に通っていたころのことです。近所の公園で、十年以上前に仕事で知り合った女性と偶然出会いました。彼女は娘と同い年の男の子を連れていました。

当時はお互い独身で親しい付き合いでもなかったのですが、今は子育てという共通の話題があります。お茶でもいかがということになり、彼女のお宅へうかがうことになったのです。

「何して遊ぶ？」と娘に問いかけられ、男の子はどうしていいかわからないのか、にっこり笑って特別な反応はしません。おっとりした子だなと思い、二人の様子を見ていると、娘は男の子のおもちゃを珍しそうに眺《なが》めながら、勝手に遊び始め、彼を遊びへと誘います。

リビングの隣の和室はおもちゃであふれ、足の踏み場もない状態。男の子はこんなものかなと眺めているところへ、彼の母親がお茶を用意してもってきてくれました。

昔話に花が咲き、なつかしい名前が飛びだす中、私との会話をぬって彼女は息子に話しかけます。

「あ、だめよそれは」「これにしなさい」「やめてお茶にしなさいって言ったでしょ」「きちんとすわりなさい」「こぼさないで」「静かにするのよ」「早くここにすわりなさい」。

驚いたのは、彼女の指示の多いこと。ひっきりなしに息子に指示を出します。もうひとつの驚きは息子の反応。何を言われようが、にっこり笑ってまるで聞いていないかのように反応しながらも、言われるがままに動いているのです。

彼女とはその後も、子育てについていろいろと意見交換を重ねました。私が娘を遊ばせている姿を見て、彼女は言います。「ただ、見ているだけなのね」。

彼女は、常に子どもを正しくふるまわせなければならないと感じていました。それが「しつけ」だと信じているのです。だから彼女は四六時中言葉をかけ、指示を出します。

　私は言いました。

「見て。あの子たちは自分がどうしたいか、何をすべきかをちゃんと知っているから」

「でも……」

　彼女はたくさんの「でも」をもっていました。人に迷惑をかけたら、ほかの子とうまく遊べなかったら、しつけができなかったら……。彼女は親の役割を果たすべく、細々と指示を出すのです。そして、彼女が満足するようなふるまいを息子にさせようとします。

3 子育ての視線は子どもの今ではなく未来へ

子どもが安全でいるか心配だ、いい子にしているか気にかかる、しつけをきちんとしなければとあせる――そんな気持ちは親であれば誰でも感じることでしょう。

特にしつけについては、親は、何かあるたびに「最近の子はしつけができていない」と攻撃の的にされます。そこで親たちは、自分の子どもはしつけの行き届いたいい子に育てたい、あるいは親として自分が攻撃を受けなくてもいいような子に育てたいと努力します。でも、そのやり方が、時には子どもの生活から喜びを奪っていることに気づいていません。

私たち親は、とかく「今」に焦点をあてがちです。今、子どもは安全か。今、子どもは親の思うとおりにふるまっているか。今、子どものまわりで親の望むとおりのことが起きているか。今、親の望む子でいるか――。「今」に焦点をあて、そのとおりになっていないと口を出し、手を出します。そうすることで親は、今の安心と秩序を手に入れるのです。

しかし、その一時の安心と秩序に焦点をあてすぎると、子どもの一生から、自主性とそこから生まれる喜びの芽を摘みとってしまうことになります。

子育てをするとき、私たち親が目指すべきは子どもの未来です。今の子どもがどうであるか以上に、子どもが成長した姿を目指して子育てしなければなりません。今、親がやっていることの延長線上に、本当の子どもの幸せがあるかどうかを、一度立ち止まって考える必要があります。

たとえば、四～五歳でいうと、母親の膝《ひざ》から自立して社会へと足を踏みだし始める時期です。自分の身を守ることや人を傷つけないことをはじめとして、人とうまく遊ぶにはどうしたらいいか、人とうまく遊ぶために自分の感情と行動をコントロールする、などの社会的スキルを身につけ始める時期です。

このスキルこそが「生きる力」と言えるのです。

このスキルを身につける方法は体験しかありません。子どもたちはさまざまな体験を通して社会的スキルを身につけ、生きる力を高めながら自立していきます。

ところが、この時期に親がぴったりとくっついて、今どうふるまうべきかを指示したとしたらどうでしょう。子どもが自分で考えたり行動したりするところを、親がかわってやってしまったらどうでしょう。子どもは自ら体験するチャンスを失うのです。

これらの社会的スキルを身につけないまま育ってしまったとしても、多くの子どもたちは立派に生きていくでしょう。ただ、スキルを身につけることで得られる充実感や喜びと無縁であることだけは確かです。また、ある種の気質をもった子どもたちは、こうした親の過干渉によって深く傷ついたり、本当に学ぶ必要のある、人として大切なことを学ばないで育つ恐れもあります。

親が目指す子どもの未来、それは彼らの幸せな姿です。そしてそれは、人に頼らず、人生を自分の力で切り開いていける自立した彼らの姿なのです。

4 赤ちゃんの親はできない子を完全保護する「保護者」

人間の赤ちゃんは未熟な状態で生まれてきます。誕生から約三カ月は完全な依存状態にあります。当然のことながら、この時期に完全な保護が受けられないと、子どもは生きてはいけません。保育者（おもに母親）は、この時期、まったく無力な子どもを完全に保護します。自分で自分の面倒がみられない子どもの、すべての生理的欲求にこたえます。

この時期の保護は、子どもの「できない」状態にもとづいての行為と言えるでしょう。自分ではおっぱいが飲めない、自分ではオムツをかえられない、自分では移動できない子どもにかわって、保育者がそのすべての面倒をみるのです。

この時期の親の献身的な世話は、その後の子どもの人格形成に大きな影響を与えます。

たくさん抱かれて、声をかけられ、よく相手をされた子どもには、安定した情緒が育ちます。ですから、この時期の保護をおろそかにはできません。

同時にこの時期、充分に子どもとスキンシップをとることで、親のほうにも子どもに対する愛情や、しっかりと子育てをしようという心構えができてくるようです。

子どもの成長には目を見張るものがあります。何もできなかった子どもが、寝返り、おすわり、ハイハイと、自分で動けるようになってきます。手で食べ物をつかんで口に運ぶようになり、言葉を話すようにもなります。「できる」ことが日に日に増えてくるのです。

子どもにできることが増えるにつれて、親の保護は「支配」へと姿を変えていきます。

できることが増えることは、危険が増えることを意味します。親は、大切な愛する子どもを危険から守るために、子どもに規制を加え支配しようとするのです。危険なものに触れないように、親は「ダメ」を連発するようになります。指示や命令、禁止語が日々増えていきます。「ダメよ。こっちへいらっしゃい。早く！」。

突然走りだす子どもを制止するために手をつなぎ、ベビーカーにしばりつけて出かけます。子どもの安全を守るためには当然のことです。

この保護と支配の時期は、このあとに続く子どもの自主性の開発と自立をうながすうえで、とても重要な意味のあるときです。それなのに、保護と支配が習い性になってしまった親は、過剰に反応するようになり、子どもの自由で自然な発達をさまたげます。

私たち親はいつまでも、子どもを「できない子」として扱うことが多いようです。

5 子どもの成長にしたがって、親は保護者から「親」になる

子どもの成長はめざましく、まもなく保護も支配も必要のない時期がきます。しかし、その成長に気づかない親は、それまでの延長で、変わらず子どもの保護と支配を続けます。それは「かわいい子どもを守りたい」「きちんとしつけ、いい子に育てたい」、そして「自分もいい親でありたい」という、ごく当たり前の願望のあらわれです。

ところが、実際はそれが子どもの自由を奪い、自ら伸びようとする芽を摘んでしまうのです。子どもの「できる」を認めず、「できない」ままの存在として保護し続けることで、子どもの自立をさまたげてしまいます。

保護という善意のもとに支配され、「できない子」として育てられた子は、傷つきながら大きくなります。なぜなら、親が「保護者」でいるかぎり、親から愛

されるためには、子どもは「できない」存在でいるしかないからです。

無力な子どもを守ろうとする親の母性愛は、そのままのかたちで維持されると、子どもを「できない」存在へと育ててしまう危険性をはらんでいるのです。子どもが日々成長するのにそって、親も日々成長し、対応の仕方を変えていくことが大切です。では、私たち親はどのように成長していけばいいのでしょう。

子どもの生きる力を育てるためには、子どもの成長にしたがって、親は「保護者」から「親」へと成長しなければなりません。保護者は「できない」子どもを完全保護しました。そして、親には違う役割が用意されています。

親の役割は「できる」子どもに対する援助です。「できない」子であれば、親は手を出してやってあげる必要がありますが、「できる」子であれば、本人がやるのを見守ればいいのです。

「できない」という無意識のメッセージを受けながら育つ子どもと、「できる」人としての扱いを受けて育った子どもの人生は大きく異なります。

「援助」という言葉を辞典で調べると、「HELP（ヘルプ）」と「SUPPORT（サポート）」という言葉が並んでいます。しかし実際には、この二つの言葉には天と地ほどの大きな違いがあります。

ヘルプは「できない」人のために、その人にかわってやってあげること。保護者がするのはヘルプです。一方サポートは、人を「できる」存在ととらえて、そばで見守り、よりよくなるために必要なときには手を貸すこと。サポートこそが、まさに親の仕事なのです。

小学校に入るころには、子どもは親から離れていることが多くなります。いつも親がそばで守ってあげることは不可能です。でも、ここで子ども自身が「できる子」の基本を身につけていたら、子どもの社会生活の第一歩は自信に満ちたものになるのではないでしょうか。

入学の時期を目指して、保護や支配の割合を減らしながら、子どもの「できる」を増やしていくことが「ハートフルコミュニケーション」の提案です。

6 親の「ヘルプ」が子どもをダメにする

「飢えている人がいたら、魚を釣ってあげますか？　それとも魚の釣り方を教えますか？」

これは、人を援助するときの援助者のスタンスを比喩的《ひゆてき》に表した問いかけです。飢えている人は、放っておくと飢え死にしてしまいます。援助者は何か行動を起こさなければなりません。

魚を釣ってあげるというのはヘルプです。ちょうど、生まれたばかりの赤ちゃんを世話する行為がこれにあたるでしょう。自分一人では生きられない赤ちゃんは、まさにヘルプを必要とする存在です。

もちろん、飢えている人に対して魚を釣ってあげるのは親切で尊い行為です。でも、だからといって、ずっと魚を釣り続けてあげたとしたらどうでしょう。

飢える人は、自分の飢えという問題を自分で解決することなく、ヘルプしてくれる人に頼って生きることになります。そして、大きくなっても人に頼らなければ生きていけない無力な自分に、嫌悪感を抱くようになるのです。

親にずっとヘルプされ続けた子どもも同じです。このように、本来、尊いはずの親の愛が、子どもを無力な存在へと育ててしまうのです。

親は、子どもに対してどんなヘルプをしがちでしょうか。

①子どもがするべきことを逐一指示し、命令する
（一緒にいると、ほとんど親がしゃべっている）
②子どもの欲求を察し、無条件で何でも与える
（子どもは求めなくても、物が手に入る）
③子どもがどう感じるべきかを教える
（子どもの痛みや悩みを受け入れず、説教する）
④子どもは親の延長と考え、親が求めるとおりになるよう期待する
（子どもがどうしたいかは聞かない。聞いても尊重しない）
⑤子どもの問題をすべて親が解決する

（子どもがするべきことを親がかわってやる）

子どもが幼いころはすべて親のコントロール下にあるので、これらのヘルプは問題となって表れてはきません。ところが、年齢が上がるとともに、子どもはどんどん社会に出ていきます。そのとき、ずっと親の指示で動いてきた子は、指示がないとどう動いていいのか判断ができません。

また、欲しい物を親がすべて察して、求めなくても与えられてきた子は、自分の欲求を正しいやり方で伝えられません。親に充分聞いてもらっていない子は、自分の気持ちをうまく伝えられません。親にすべての問題を解決されてきた子は、問題に立ち向かう勇気をもちません。

ヘルプの中で育った子どもは、自分でするべきさまざまな体験を親に先取りされています。このため、体験にもとづく学びが少なく、問題解決の経験が充分にないのです。

問題を自分で解決する体験の少ない子どもにとって、この世は何とも生きにくい世界となるでしょう。問題を解決できない子どもにとっては、問題は逃げ出すしかない「障害」なのです。

7 親から子への最高の贈り物「サポート」

では、魚の釣り方を教えてあげるのはどうでしょう。援助者としては、魚を釣ってあげるほうが簡単です。その技術をもたない人に教え、できるようになるのを待つのは忍耐のいる仕事です。

釣り方を教え、釣れるようになるのを待てば、いずれ人は自立します。そして援助者を必要としなくなります。

子どもを「できない」存在ととらえ、ヘルプし、子どもの人生を支配したときは、親には長い間、子どもの世話をしてあげるという「しなければならない」仕事があります。ところが、自分で「できる」ようになるサポートをし、子どもがどんどん自分でいろいろなことをやり始めると、親はいずれ必要とされなくなります。

子どもの自立をサポートできる親は、親自身が自立していて、子どもから必要とされなくなることを恐れない人です。子どもの人生を支配し、そこに頼るのではなく、生きるべき自分の人生をもっている人です。

ここで、「自立」の意味をはっきりさせておきましょう。自立とは、人をあてにしなくても自分の力で生きられることと、自分ではできないときに素直に人に援助を求める能力を意味します。

実は、何も知らないと思える生まれたての子どもの中に、すでに自立して生きていくために必要なすべての知恵の芽が存在しています。その芽は、親が邪魔さえしなければ、立派に育つよう仕組まれているのです。

ですから、子どもはみなやりたがりです。一歳半を過ぎると、何でも自分でやりたがるようになります。うまくもてなくても、自分でスプーンをもってご飯を食べたがる。上手に口に運べなくても、自分でコップをもってお茶を飲もうとする。やってあげようと手を出すといやがります。自分でやりたいのです。健康に生まれた赤ちゃんに、やる気のない子はいません。

一人一人の表現の仕方に差はあっても、子どもの好奇心ややりたがりは、人が自立して生きていくうえで必要なことを学ぶために自然が与えた力なのです。

みなさん、一度は植物を育てたことがあるでしょう。

小学生のころ、朝顔の観察日記をつけました。種をまき、芽が出て、生長し、花をつけ、来年のための種をとるまでの観察をしました。種に土をかけて、日当たりのよいところにおいて、水を与えるだけで、朝顔は立派に育ちました。朝顔が必要とするすべての情報は、種の中に宿っていたからです。私たちがしなければならなかったのは、環境を整えることだけでした。

人間の子どもも同じです。子どもは時間をかけて自分の知っていることを発見していきます。自分の力で生きることを学べるように、親が環境を整えてあげれば、子どもは自分の中にある知恵を芽生えさせることができるのです。

サポートは、「ああしなさい」「こうしなさい」と、逐一子どものするべきことを指示することではありません。子どもが自分で学び、発見できるよう、親が子どもの邪魔をしないことです。子どもの人生を子どもにまかせていくことです。

8 ヘルプは親の自己満足、子どもの人生を横取りする行為

ところで、なぜ親はヘルプをするのでしょう。

生まれたばかりの子どもにとって、生きるためにヘルプされることは重要です。同時に、その行為はヘルプする側にも大きな充実感を与えます。かわいい子どもの面倒をみて、守り、できることを精いっぱいやってあげるのですから。

ここにヘルプする親にとっての落とし穴があります。赤ちゃんの世話は大変ですが、そこには自分にしかできない、幼い命を守るという使命感が生まれます。

子どもがヘルプを必要としなくなる時期がきても、「この子のために」と使命感に燃え、守り、世話をし、指示し、命令して、親としての仕事をしているという充実感を得ることができるのです。ヘルプし、子どもを支配することで、子どもの依存度を高め、親自身の存在の重要度を高めることができるのです。

人に必要とされるのは、とても気持ちのいいものです。それが子どもの自由を奪っているなどとは思いもしません。気づいていたとしても、すべて「子どものため」であり、子どもの自立を邪魔しているという意識はないのです。

ヘルプは一見、とても親切な行為に見えます。ところがそれは、時には、「できる」人を「できない」人ととらえ、「やってあげている」自分を救助者として高い位置において、「できない」相手に親切を押し売りする傲慢《ごうまん》なあり方となるのです。

人には本当にヘルプを必要とするときがあります。その行為が本人の能力をはるかに超えているとき、命や心が危険にさらされているとき。そんなとき、人はヘルプされなければなりません。

それ以外は、ちょっと待ってまかせてあげれば、すべて自分でできるのです。

子どもが自分でしようとすることやしたいことを尊重せず、親がヘルプすることは、親がどんなに「子どものためを思って」やっていることであれ、子どものためではありません。それはヘルプしている親自身のためです。

親はヘルプしてあげている自分が好きなのです。子どものために何かをやっているという感覚は、親が自分の責任をはたしているというニセの満足感にほかなりません。親自身の人生で得られない充実感を、子どもの面倒をみることで補おうとしているのです。

ヘルプする親のヘルプの先にあるものは、子どもの幸せではありません。子どもが何を望んでいるかではなく、親が望んでいるものをかなえるためにヘルプをするのです。自分が望んでいるものを得るために、子どもに与えるのです。

ヘルプする親は、子どもから、自分で考え、管理し、選択し、成しとげる喜びを奪っていることに気づいていません。それらの喜びは子どもに属するべきものです。もし親が喜びを求めるなら、それは親自身の人生でつくらなければなりません。子どもの人生を利用してはならないのです。

子どもに生きがいを求めることは、子どものいきいき輝く人生を犠牲にして、自分の充実感を得ることにほかなりません。そのとき親が愛しているのは、子どもではなく、親自身なのです。

9 親は子どもをサポートし、才能を花開かせるコーチ

自分で靴をはこうとしている幼い子どもは、「自分で靴をはく」という一大イベントの主役です。最初はうまくいきません。左右逆にはいてしまいます。そこに脇役であるはずの親があらわれ、「ほら、さっさとしなさい」とはかせてしまうことで、仕事を横取りします。子どもは、自分の足に靴をはくという、とても個人的な行為を自分では体験できません。

自分の仕事を横取りされることは、子どもの生活には多いのではないでしょうか。ちょっと待てば子どもにも充分できるのですが、早くしてほしい親は「早くしなさい」と言いながら自分でやってしまいます。

子どもの人生の主役は子ども自身です。生きているのは子どもで、体験しているのは子どもです。親にできるのは、またやってもいいのは、やるべきことを子

どもに見せ、できるようになるまで待つことです。そのためには、子どもが幸せに生きられるよう「枠組み」をつくり、その枠組みの中で子どものコーチになることです。

コーチは決して、選手（主役）にかわってプレーすることはありません。コーチの仕事は選手の才能を開花させることです。選手がよりよいプレーができるようサポートするのが仕事です。次の三つの条件を満たしたとき、親は子どものコーチになれます。

①子どもはできることを知っている。
②子ども自身がもっとよくなりたいと思っていることを知っている。
③子どもが望んでいることが起きるまで待ち、必要なサポートは何でもしようとする柔軟性がある。

この条件を満たし、常にこの姿勢を保つことで、親は子どもの尊敬を得ることができます。親としてコーチとして、子どもの尊敬を勝ちとらなければ、サポートは難しくなります。また、親が常にこの三つの姿勢を保てば、子どもは愛されていると感じるでしょう。

「君は可能性でいっぱいだ。君がもっとよくなりたいと願っているのを知っている。お父さんとお母さんは、そんな君にどんなサポートも惜しまない。君が望むものを手に入れるまで、我慢強く応援するよ」

何というすばらしい、愛にあふれたメッセージでしょう。このメッセージにあと押しされて、子どもは強くなれるのです。

10 親としての自分なりの成績表をもとう

私たち親は、子育ての結果を何ではかればいいのでしょう。子育てがうまくいっているかどうかは、どうしたらわかるのでしょう。

誰も評価してくれません。自分なりの基準をもっていないと、判断は非常に難しいのです。そこで、自分なりの基準をもたない親は、評価のものさしを外に求めます。

子どもの発育状態を育児書で確認したり、近所や友人の子どもとくらべます。よその子が言葉を話し始めると、「うちの子は遅い」とあせります。習い事を始めたと言えば、後れをとってはいけないと習い事を始めます。どこそこの子が幼稚園を受験すると聞くと、それが正しいことのように思えて、自分の子どももそうさせなくてはいけないのではないかと思います。

ことあるごとに、自分のやり方はこれでいいのだろうか、自分は間違っているかもしれないと不安を感じる親は多いのではないでしょうか。

私たち親自身が育つ過程には、多くの場合、評価してくれる人やシステムがありました。学校では常に成績表があり、偏差値で自分がどこにいるのかわかりました。社会人になると会社によって評価され、自分がうまくやっているのか、何をすべきかの判断ができました。

学校でも会社でも、世の中一般の平均値によって評価され、自分の位置を確認したのです。そこでは、自分個人がどうかはあまり重要ではありませんでした。重要なのは、まわりと比較してどうかだったのです。私たちはそういうシステムの中で生きてきました。

ところが、子育てには偏差値がありません。人の生き方を平均化することはできません。どこまでやったらいいとか、これですべて大丈夫という状態はないのです。

しかも、その結果が見え始めるのに最低十年はかかります。十歳ぐらいになると、子どもは精神的にも肉体的にも大きく変わり始めます。

思春期の入口に立って、いろいろな意味で自立を始めます。このころになってはじめて、それまでの子育ての成果が見え始めます。

サポートされて育ってきた子は、自立の準備が充分にできていますから、引き続き親のサポートがあれば健康的に成長していきます。

ヘルプされて育ってきた子どもの問題が表面化するのは、小学校入学からこのころです。このころになってはじめて、親は自分のやり方を見直すことになるのです。

親としての自分なりの成績表をもちましょう。まわりとの比較でなく、親自身と一人一人の子どものためのオリジナルメイドであるべきです。ほかの親のものさしで、親としての自分をはかることはできないのと同じように、一般的なものさしで子どもをはかることはできないのです。

11 私たちの人生に遅いということは決してない

「もっと早くこの話を聞けばよかった。もう、うちの子は遅いでしょうか」

講演やワークショップでよく聞かれる質問です。親が気づかないまま子どもと接してきて、子どもはすでに中学生。最近の子どもの態度に悩む親の、ため息まじりの質問です。

答えは「私たちの人生に遅いということは決してない」です。たとえ子どもが何歳になっていても、親が気づいたときがスタートラインです。変える勇気さえあれば、子どもはいつだって受け入れてくれます。

さて、私たちは今、子どもに対してやっている何を変える必要があるでしょう。はたして、まず、変える必要があるかどうかです。その答えは、親が子育てに満足しているかどうかではなく、子どもが日々の生活をどう感じているかによります。ここに親の成績表の基本があります。

子どもが日々の生活をどう感じているかを知るには、彼らを観察することです。観察項目をあげてみましょう。それぞれに〔はい〕〔いいえ〕〔わからない〕で答えてみてください。はっきりしないときは〔わからない〕を選びましょう。

①子どもはよく笑う
②毎日が楽しそうだ
③目が輝いている
④友達とよく遊ぶ
⑤親によく甘える
⑥いろいろな物事に関心を示す
⑦子どもなりの自己主張をする
⑧話すときは視線を合わせる
⑨親の過剰な干渉や介入をいやがる
⑩機嫌の回復が早い

七歳以上の子どもには、次の項目を追加してください。

⑪朝自分で起きられる
⑫学校などでの出来事をいろいろ話してくれる
⑬悩みがあるときは打ち明けてくれる
⑭親の意見を求めてくる
⑮我慢できるが、我慢しすぎるということはない

いかがでしたか？

〔わからない〕が多かった方は、まず子どもを知ることから始めましょう。観察するのです。子どもがどういう状態かに気づかないかぎり、何も始まりません。

〔はい〕が多かった方は、このまま読み進んで、あなたが何をやっているかを確認してください。うまくいっていることを強化し、変えるべきことを変える力があなたにはあります。

〔いいえ〕が多かった方、心配はいりません。自分を責める必要もありません。すべてはこれからです。具体的に何を変える必要があるか、見つけてください。あなたの成長は、子どもの人生を大きく変えることでしょう。

12 子どものタイプを理解して、その子に合った対応を

あなたは自分の子どものことをどのくらい知っていますか？

考え方や行動の傾向、動機づけられる要素、好きなことや嫌いなことなど、どのくらいわかっているでしょう。

人は、その人なりの気質をもって生まれてくるようです。その気質は、考え方や行動などにいろいろなかたちで表れてきます。子どもをよく観察しましょう。そして、子どもの基本的な気質を理解したうえで、接していくことが大切です。

子どものスピードを例にあげてみましょう。

あなたのお子さんはまわりの人、出来事や物に速い反応を示す子ですか。大人の動きを先へと読んで、欲しい物を手に入れようと速い行動を起こす子ですか。片付けるべきことをどんどん片付けるタイプの子ですか。

それとも、どちらかというとおっとりと構えて、まわりがどう動こうがまるで興味をもっていないかのように泰然としていますか。どちらかというと反応は遅く、行動もゆっくりな子ですか。

スピードの速い親が、やはりスピードの速い子をもてば、あまり違和感を持つことなく過ごすことができるでしょう。ところが、スピードのゆっくりな子をもったらどうでしょう。きっと親は、その子の遅さにイライラして、「早く、早く」を連発するのではないでしょうか。

ところが、ゆっくりな子どもにしてみれば、わざと遅くしているわけではないのですから、「早く、早く」と言われても、それは自分をけしかけ攻めたてる声にしか聞こえません。

反対に、ゆっくりの親がスピードの速い子どもをもったらどうでしょう。何かにつけて、落ち着きがなく、ウロウロ、シャカシャカまわりを動かれると、「ちょっとはじっとしてなさい」と叱《しか》ることが増えます。ご飯を食べていてもじっとしていることが難しく、そのたびごとに「何してるの！」と声を荒らげます。

でも、もともと速い子にとってはそれが自然な動きですから、「いけない」と言われると、自分という存在が「いけない」と言われていると感じてしまいます。

あるお母さんには二人の娘がいます。長女はお母さんと同じ速い子で、子育ても楽しかったようです。それに反して、次女はゆっくりタイプの子でした。お母さんは最初「あの子はほんとにグズで、ひねくれているんです」と次女を語りました。次女はゆっくりな子として生まれてきましたが、ひねくれ者として生まれてきてはいません。その後、タイプの違いをよく理解したお母さんの対応の変化によって、次女のひねくれは次第に溶けていったようです。

子どもはみな違います。私たち大人がそうであるように、子どもたちも一人一人個性的です。お子さんを観察してみてください。そして彼らをよく知りましょう。子どもが、それぞれ違う気質をもって生まれてきていることに気づくことで、その子に合った対応があることを学びましょう。

そうすることで、親は子どもに不必要なストレスを与えずにすむのです。それは同時に親のストレスを減らすことにもなります。子どもがそういう気質のもち主だと理解できれば、むやみな要求をしなくてすむからです。

第2章

子どもに教えたい3つの力

子どもたちに、生きるうえでもっとも大切な3つのことを教えましょう。
それは、「愛すること」「責任」「人の役に立つ喜び」です。

13
愛だけが自己肯定感(自分が好きという感覚)を育てる
――愛すること

人が生きていくうえでもっとも大切な感情が「自己肯定感」です。自己肯定感とは、自分の存在を肯定する感覚です。自分はここにいるべき人間であり、まわりの人は自分の存在を喜んでいる。自分の存在が家族に幸せをもたらしていて、そんな自分でいることがうれしい。「私は自分が好きだ」という感覚です。この感覚は、私たちが自分として生きていくうえでもっとも基本となるもの。存在することへの自信です。

自分が好きでなければ、生きているのは苦痛です。家族が自分の存在を喜んでいると思えなければ、日々は暗闇《くらやみ》です。「自分でいることが苦痛で、誰にも愛されていない」と思った人は死にたくなるかもしれません。究極の自己否定は自殺です。まったく自己肯定する材料がなくなったとき、人は生きている意味を見失うのです。

死んでしまいたくなるようなつらい体験をしても、それでも生きていられるのは、愛してくれる人がいると知っているからです。この苦しみに耐えれば、必ず輝きがもどると知っているのです。それが自己肯定感です。自己肯定感は私たちの「生」を支える感情です。

自己肯定感は、人生の初期に、自分を保育してくれる人たちに愛されることによって、身につけることのできる感情です。

親のもっとも重要な使命は、子どもに自己肯定感を与えることです。それは「愛すること」を教える行為です。「愛すること」を教えられた子は、一生幸せに生きることができます。自分を愛し肯定しているので、苦しいことがあっても強くいられるのです。

自己肯定感と混同されがちなのが「傲慢さ」です。自分の存在を肯定している人は傲慢な感じはしないかということのようです。自分を愛し、自分の存在をすばらしいと思うのは大切です。ところが、愛されるために自分のすばらしさや優秀さを証明しなければならないとしたらどうでしょう。それは「傲慢さ」と受けとられます。

自己肯定感を生み出すのは「愛」、そして傲慢さを生み出すのは「怖れ」です。自分は愛されていないかもしれないという怖れが、人を優秀であることの証明に走らせるのです。ここに自己肯定感と傲慢さの違いがあります。

ですから、どんなに自己肯定感が高まろうと、それが傲慢さや思い上がりにつながる心配はありません。自己肯定感は「私が好き」なのです。「私でいることがうれしい」のです。

14

「あなたのために」は子どもには愛とは伝わらない

——愛すること

小学二年生の長男に「死んでしまいたい」とため息をつかれたお母さんがいました。お母さんは大変ショックを受けました。

当然です。大切に育ててきた子どもに「死にたい」と言われて、平気でいられる親はいません。ワークショップに参加したお母さんは、目に涙をため、そっと声をかけてくれました。「どうすればいいんでしょう」。

彼女は、その子をとても大切に育てていました。期待をかけ、優秀でいい子に育つように、小さいときからいろいろな習い事にもチャレンジさせてきました。成績もよく、先生からの評価も高く、親の言うことをよく聞く、心のやさしい本当にいい子だそうです。いじめられているわけでもなく、特に何か問題があるわけでもないようです。

お母さんは活動的で元気な人です。ほがらかで上昇志向の強い人のようです。

「お子さんは、自分が望んでいることをやっていますか？　それとも、お母さんが望んでいるとおりにやろうとして頑張っているのでしょうか？」

その子が今ある状態を「うれしい」と思っていれば、死にたいなどと言うはずはありません。

しばらく話を聞いてわかったのは、母親自身が自分の上昇志向をもてあますことがあるということでした。

お母さんは、子どものころから親の言うことをよく聞き、よく勉強したそうです。いつも、もっともっとと、よりよいものを求めて生きてきました。子どもが生まれてからはその意識が子どもにも向き、いい子に育てたい、優秀な子に育てたいとあせりを感じることがある、と正直に話してくれました。そして息子は、そんな親の気持ちにそって生きようとする子だったのです。

「あの子のためにと思ってやってきたのですが」

子どものために、という気持ちに偽りはありません。その気持ちが「愛」として伝わっていれば、息子は「死にたい」などとは言わないはずです。

彼は母親の思いどおりのいい子にはなれなくても、彼なりのいい子になることはできます。ところが、母親が自分の理想にそってヘルプしすぎると、目指すのは「彼なりのいい子」ではなく、「お母さんの望むいい子」になってしまうのです。人の期待にそって生きるのはつらいものです。死にたいとため息をもらす彼の気持ちがわかります。期待されすぎて育った子どもは、あるがままに自分を愛することを学べません。同時に、小学二年生の子どもに死にたいと言わせてしまったお母さんの悲しみも、痛いほど伝わってきます。

でも大丈夫。このお母さんは気づきました。彼のため息の意味を受けとったのです。彼の無意識はそれを受けとってほしくて、お母さんに向けてメッセージを発していたのです。

「お母さんの期待どおりに生きるのは疲れるよ、という合図ですよ。まず、お母さんがちょっと立ち止まって、今を楽しんでみてください。あるがままのお子さんと一緒にいるのを楽しんでみてください」

お母さんが力を抜けば、子どもも楽に生きられます。親が生活を楽しんでいれば、子どもはそれが生きるということだと学ぶのです。

15 親に愛されなかった子は自分も人も愛せない

——愛すること

前の項の母親は、自分の理想にそって子どもをヘルプしすぎた例でした。親の期待が強く、その期待にそって日々干渉され、ヘルプされ続けると、子どもは「あるがままの自分ではいけない」というメッセージを受けることになります。自分でいることに自信がもてず、親の期待どおりの自分でいるときだけがいい子なのです。こういう状態では、親がどんなによくしても、やればやるほど子どもは愛されていないと感じます。

反対に、必要なときにヘルプをしなかったらどうでしょう。充分な保護を受けなかったり、その後も親を身近に感じることのない子どもはどうなるでしょう。

幼児虐待というと一般的に暴力が連想されますが、もっと静かな虐待があります。「ネグレクト」と呼ばれ、子どもに対して関心を示さず必要な世話をしないことです。ひどい状態になると食事も与えず、長時間にわたって子どもを放置したりします。子どもを放棄するのです。

子どもに対して、必要とされる充分なヘルプを与えないことは、与えすぎるのと同じく、それ以上に大きなマイナスの影響を与えます。

中には、サポートと放任を取り違える場合があります。「サポート」は人を「できる」存在ととらえ、そばで見守り、よりよくなるために必要なときには手を貸すことです。「放任」は親の責任を放棄し、子どもに充分な関心を寄せないことを言います。

親が関心を示さなかったり、義務感のみで接していたりすると、子どもはそれを敏感に感じとります。子どもにとって親は絶対的存在ですから、もっとも愛されたいその人から関心を示されないのは、自分には愛される価値がないからだと解釈するのです。これでは自己肯定感は育ちません。

親に愛されていると感じることができないと、自分が好きにはなれません。自分の中に愛が見つけられない子は、人を愛することも下手です。自分にも人にもやさしくなれないのです。

それでも、心の平安を求めて、愛してくれる人を探し求めます。ところが、自分には愛される価値がないと思っていますから、正面から愛を求めることができません。素直に親に甘えられず、いたずらやあえて親のいやがることをして親の気を引こうとする子の心理がそれです。

「幼い心が危機にさらされている」「なんて親なんだ」、そう言って親の無知を責めるのは簡単です。でも、その親自身、そうせざるをえない状況にあったのかもしれません。そう思うと、本当にやるせない思いでいっぱいになります。

親自身が被害者だったのかもしれません。親から子へ、そしてまたその子へと受けつがれていく苦しみを、今誰かが止めなければなりません。過去は変えることはできません。時間がたてばきっとよくなると、未来への期待だけに生きることも無力です。

何か事を起こせるのは今。そして、行動できるのは私です。私たち親が、もうほんの少しだけ賢くなれば、子どもたちの人生が大きく変わります。彼らの人生がもっと輝きを増すのです。

16
どうやって「愛すること」を教えるか？
――愛すること

乳児期の子どもにとって、愛することは生理的なことと直結しています。お腹がすいて泣くと、すぐにおっぱいを飲ませてくれる。オムツが汚れて気持ち悪いと泣くと、すぐにきれいにしてくれる。そうやって赤ちゃんは、泣き声という自分のコミュニケーションにこたえてくれる人がいることを知ります。

自分のコミュニケーションにこたえ、欲求を満たしてくれる人がいる。この安心感こそが、人の一生を支える「愛」の始まりです。

よく抱いて肌をふれあう。笑顔でやさしく目を見て話しかける。よく一緒に遊ぶ。子どもに愛を教えるのは、特に難しいことではありません。とにかく無条件にかわいがることです。豊富なスキンシップです。「かわいい」「好きだ」と言葉にすることです。

小さな赤ちゃんに「かわいいね。好きだよ」と言ってもわからないと思うかもしれませんが、赤ちゃんには充分伝わります。視線を合わせてその言葉を伝えるとき、言葉とともに親の心に「かわいい、好きだ」という気持ちがあふれます。その気持ちが伝わるのです。

「とにかくかわいがりましょう」と言うと、そっと打ち明けてくれる親がいます。

「実は、子どもをかわいいと感じたことがないんです」

それは残念なことです。大変な思いをして産み、育てているのに、かわいいと感じられないのは親にとって大変な損失です。

子どもを育てる見返りは、「かわいい、かわいい」と思うときの充実感です。かわいいと思っているとき、心の中は満たされ、幸せに包まれます。子どもは、私たちにその幸福感を与えてくれる。それが感じられないとは大きな損失です。

でも大丈夫。解決法があります。それは「かわいいセラピー」。

一日に何度も、子どもの目を見て、「かわいいね。好きだよ。大好き」と言葉にするのです。「どのくらい続ければいいでしょう」と聞いたお母さんがいました。答えは「そう感じられるまで、ずっと」。

働く親はどうしたらいいのでしょう。子どもとのスキンシップの時間は、家にいるお母さんにくらべ、はるかに少ないのが現実です。

私は自分の体験から、子どもとのふれあいは時間の長さではなく、どれほど濃密にかかわれるかであると思っています。そのために私はいろいろと工夫をしました。

ひとつは、なるべく長く母乳を飲ませるようにしたこと。一歳半になるまで、一緒にいるときは、娘の欲求に合わせていつでも何度でも母乳を与えました。夜は必ず添い寝をしました。添い寝は子どもの成長にともない、本の読み聞かせ、お話ごっこへと姿を変え、子どもが眠りに落ちるまでのふれあいを楽しみました。

そして娘の話をよく聞きました。よく話し合い、彼女の気持ちを理解するよう努力しました。長い時間である必要はありません。子どもが親と一緒にいて、本当にうれしい、楽しいと思える時間をつくることができれば、働きながらスキンシップのある子育てをすることは充分可能です。

17 今日から禁止語と命令語は使わない
――愛すること

もうひとつ、子どもに愛を教える大きな要素として、「言葉」をあげましょう。

赤ちゃんのころは、保護し、とにかくかわいがればよかったのですが、歩くようになり行動範囲が広がるにつれ、身のまわりの危険から守るため、親は子どもを支配しようとします。このため、行動を禁止する言葉がよく使われるようになります。

もっと大きくなって親の言葉をよく理解するようになると、今度は親が望むような行動をさせるために命令する言葉が増えてきます。子ども自身の意志が育つほど、親の命令語は多くなります。

子どもの心がもっとも育つ時期に、彼らが耳にする言葉の多くが禁止語と命令語なのです。

もっと悪いことに、禁止しても命令しても言うことを聞かない子には、親は腹を立てて言葉による暴力をふるいます。親が無意識に使っているこれらの言葉が、子どもの未来をつくっているのです。

こんなふうに想像してみてください。子どもの意識は真っ白なキャンバスです。このキャンバスに、親がいろいろ書きこみを入れていきます。その書きこみの多くが禁止語や命令語であったらどうでしょう。

「ダメ、ダメ」「やめなさい」「いい加減にしなさい」「早くさっさとしなさい」「しょうがない子ね」「馬鹿ね」「ぐずなんだから」。

キャンバスがこれらの言葉で埋めつくされていきます。これらの言葉は、子どもにストレスを与えるだけでなく、子どもの否定的な「セルフイメージ」を育てます。

人は誰もが、自分はこういう人間だという自画像＝セルフイメージをもっています。それは長い間の経験によってかたちづくられますが、もっとも大きな影響力をもっているのが、幼少期に親によって書きこまれた言葉です。

肯定的な言葉や思いをたくさん書きこまれた子は、自分に対して肯定的なセルフイメージをもつことができます。自分に対して肯定的なセルフイメージをもつことができれば、自分を好きになるのは簡単です。それこそがまさに自己肯定感です。

一方、否定的な書きこみをたくさん受けた人は、そんなダメな自分を好きになることはできません。そして、セルフイメージどおりのダメな大人へと成長していきます。

まず、禁止語を言わないために、子どもの動きを規制しなくてもいいような環境をつくりましょう。さわってはいけないもの、危ないものは身近におかないことです。でなければ、刃物などの危ないものは年齢に合わせて使い方を教えましょう。身をもって危険を教えるのです。

命令語については、命令しなくても子どもが行動するように習慣づけることが大事です。くわしくは、第3章「子どもを幸せにするしつけ」（一一一ページ）で述べましょう。

しつけとは、できていないことを口うるさく言うことではありません。それでは、やればやるほど子どものセルフイメージは傷ついていきます。

子どものできていないことを探す目ではなく、できていることを探す目に切りかえてください。できていないことを口うるさく言うのではなく、できていることを認めるのです。そのとき子どもは愛されていると感じます。

18 「甘えを受け入れる」と「甘やかす」は違う

——愛すること

「とにかく無条件に子どもをかわいがりましょう」というメッセージに、「それは、子どもを甘やかすことにならないでしょうか」と心配される方がいます。

ここで、「甘えを受け入れる」ことと「甘やかす」ことの区別をしておきましょう。

ずっと親の腕の中にいた乳児時代から、幼児時代に入ると、子どもは親から離れて動くことができるようになり、その時間がどんどん増えていきます。一人遊びをしたり、友達と遊んだり、保育園や幼稚園に行ったりします。

親と一緒にいない時間でも、子どもはふっと親の腕に飛びこみたい衝動にかられます。特に何かがあったわけではないのですが、そうすると安心するのです。幼い子どもは自分で安心感を得る方法をまだ知りませんから、そのつど親のそばに行って親からそれを得ようとします。

小学生になってても同じです。小学生になってからのほうが具体的な問題を抱えることが増えるでしょう。友達から意地悪をされた、先生から叱られた――集団生活の中には楽しくないこともたくさんあります。そんなとき、家に帰った子どもは、親に「あのね」と外での体験をいろいろ話そうとします。

こうした行為はすべて子どもの「甘え」であり、子どもはそうやって親に甘えることで、安心を得たり、痛みを癒《いや》したりしているのです。同時に、それは自立の準備でもあります。

その甘えを親が受け入れなかったらどうでしょう。

「今、忙しいからあとでね」「そんなことぐらいで」「べたべたしないでよ」「もう大きいんだから」。

子どもが大きくなればなるほど、親は子どもの甘えを受け入れません。でも、子どもが精神的に自立をして、自分で安心感をつくりだしたり、自分で自分を癒したりできるようになるまでは、親の力が必要なのです。

幼いころから充分に甘えを受け入れられてきた子どもは、精神的自立も早いといわれます。反対に、甘えが充分でなかった子どもは、形を変えていつまでも親の注意を引くようなことをやり続けます。「甘えを受け入れる」ことは、子どもの欲求にこたえて、親が必要な精神的サポートを与えることです。

そして「甘やかし」はヘルプです。親が自己満足のために、必要以上に子どもの世話をやいて、子どもが自分でしなければならないことを親がかわってやることです。

子どもは自分でしなくてもいいので楽です。自分のこぼしたジュースをふくのはお母さん。自分の脱いだ洋服を拾って歩くのはお母さん。自分の後始末をするのは全部お母さん。

そのような甘やかしの環境の中で育った子どもが手に入れるのは、親からの安心感や自立への準備ではありません。自分の生活は誰かが面倒をみてくれる、という誤った解釈です。

でもいつか子どもも、それが幻想であることに気づく日がきます。そのとき子どもは傷つきます。自分の面倒をみることができない自分に無力感を感じます。

子どもの心を育てる「甘えを受け入れる」行為と、親の欲求にもとづく「甘やかし」は、まったく異なる結果をもたらすのです。

19

子どもが朝起きるのは誰の仕事？

——責任

「朝、お子さんを起こすお宅は？」

これは責任についてお話しするときに、必ずする質問です。参加者の約八割が手をあげます。あなたのお宅ではいかがでしょう。お子さんは朝、自分で起きてきますか？　それとも誰かが起こしていますか？

次にこんな質問をします。

「では、学校に遅刻しないよう、朝一定の時間に起きるのは誰の仕事ですか？」

そう、学校に遅刻しないように起きるのは子ども自身の仕事です。ところが、その仕事を子どもから奪って、親が起こしてしまうことで、子どもは親に依存するようになります。そして、子どもの自立はさまたげられます。

「起こさないと遅刻するから」という親心によるヘルプは、結果的に、だから子どもが自分で起きなくてもよいという状態をつくります。子どもが起きてこないのではなく、親が起こすから子どもは起きてこなくていいのです。

子どもに教えたいことの二つ目は「責任」です。

責任というと、「ねばならない」もの、重くてできれば背負いたくないものという印象を受けます。それは私たちが学んできた責任が、責められることだからです。何か都合の悪いことがあったとき、それについて責められるのが責任です。ですから、人は進んで責任をとろうとは思いません。

でも、本来、責任の意味はちょっと違うところにあります。

責任は、英語で「リスポンシィビリティー（RESPONSIBILITY）」と言い、「RESPONSE（反応）」と「ABILITY（能力）」という二つの言葉から成っています。つまり、責任とは「反応する能力」を意味するのです。子どもに教えたい責任は、日常の反応しなければならないことに対して、自分で積極的に反応することです。

そのためには、子どもの仕事を取り上げないこと。朝起きること、したくをすることから始まり、小学校へ上がるころには、自分でするべきことは自分できるようサポートしてあげることが大切です。「自分でやりなさい」と子どもに仕事を押しつけるのではなく、子どもがやりたくなるような環境づくりをしましょう。

環境づくりの第一歩は、子どものやりたがりの芽が出てきたときに、その邪魔をしないことです。

一歳半ぐらいから、子どもは何でも自分でしようとし始めます。三歳ぐらいになると、頑固なほどの「自分でやる！」が始まります。このとき、なるべく子ども自身にやらせることで、「やりたがり」を健康的に育てることができます。

でも、親はよく反対をやります。「自分で」と子どもが言うと「ケガしたらどうするの。まだ無理よ」と言い、子どもが甘えて「やってー」と来ると、「もう大きいんだから自分でやりなさい」。

これでは一貫性がありません。親がはっきりとした枠組みに立ってものを言っていないことの表れです。

子どもの仕事は子どもにまかせる、そして甘えは受け入れる——というように、はっきりとした枠組みをもっていれば、迷うことなく一貫性をもって子どもに対応できるのです。

20 原因と結果から子どもは学んでいく
――責任

朝、自分で起きることが、なぜ責任(反応する能力)を育てるのかについてご説明しましょう。

物事には必ず、原因と結果があります。たとえば、毎朝七時に起きて、一時間かけてしたくをし、八時に家を出ると、遅刻せず余裕をもって学校へ行けるとしましょう。

ところがその日、目が覚めたら七時半。あわててしたくをし、学校へ行ったのですが、遅刻をしてしまいました。七時半に起きるという原因の結果、遅刻となったのです。クラスメートが全員席についている教室へ、一人で入っていくのはきまりの悪いもの。おまけに先生に注意もされました。

この体験は子どもにとって居心地の悪いものです。困ります。そこで考えます。どうしたら今後、居心地の悪い思いをしないですむか。子どもは悩みます。葛藤《かっとう》します。そして、「明日は七時に起きよう」という結論に達します。

次の日、七時に起きた子どもは、余裕をもって学校に行くことができました。そこで子どもは、自分が行動を変えることで結果を変えられることを学びます。自分が原因を変えることで、その結果さえも変えることができることを学ぶのです。

このような体験を日々の中でくり返した子どもは、居心地の悪いことが起こると、どうしたらいいかを考える習慣がつきます。そして、その原因を変えるよう努力しようとします。それこそが現状に反応する能力です。

人はこのように、原因と結果の法則の中で自分がどのように行動するべきかを学んでいきます。そうやって問題処理能力が高まっていくのです。

一方、親が起こして遅刻をした場合はどうでしょう。その子は家に帰ってきてきっと言うでしょう。

「お母さん（お父さん）が、もっと早く起こしてくれなかったから」

原因をつくったのは自分ではないのです。居心地の悪い結果をつくったのも自分ではなく、きちんと起こしてくれなかった親です。このとき子どもは居心地の悪さを親のせいにします。親の被害者です。親のせいなので、原因を自分で変えようという考えには至りません。

「もっと早く起こしてくれなかったから」と言われた親のほうも、「何言ってるの。自分で起きなさい」と反発はするものの、次の日もまた子どもを起こします。子どもを遅刻させないのは親の仕事だと考えるからです。こうして子どもは立派な被害者へと育っていきます。

被害者は、自分の体験は自分で変えられることを知りません。とても無力な存在です。原因を考える努力をするかわりに誰かを責めます。その責めを引き受けてくれる人がいるかぎり、被害者は自分の人生を自分で変えようとはしないのです。

21

子どもを人生の被害者にしないために
――責任

被害者として、都合の悪いことをすべて人のせいにして生きることは、一見、楽な生き方のように思えます。

でも、それは必ずしも楽ではありません。自分の人生は自分次第で変えることができると考えられないのですから、大変ストレスの多い毎日です。無力感を感じることが多く、充実感は得られません。

うまくいかないことがあっても、「よし、この次は頑張ろう」とか「今度は違うやり方をしてみよう」と考えるのは結構楽しいものです。希望ややる気がわいてきます。

ところが被害者は、自分がどうするかではなく、誰かほかの人のせいにするのに忙しくて、未来や次に自分に何ができるか考えることはありません。自分には人生を変える力がないと感じているので、行動を起こすことに対して臆病《おくびょう》で、自分に自信がもてないのです。

それでも幼いうちは、「お母さんのせい」「お父さんのせい」と内輪もめですむでしょう。でも、親はずっと子どもと一緒には生きていけません。親から離れて過ごす時間が増える思春期や青年期をむかえたとき、子どもは自信のないストレスをどう処理するのでしょう。

私たち大人も同じです。「あの人のせいで……」と思うことはありませんか。「生活が苦しいのは夫の働きが悪いせい」「仕事がうまくいかないのは上司が理解してくれないせい」「毎日イライラが多いのは子どものせい」と、うまくいかないことを人のせいにして被害者になることはありませんか。

そんなとき、あなたは自分の責任の力を使っていないのです。誰にでもある力なのですが、くり返し使ってこなかった人は、自分にそんな力があることすら知りません。そして誰かのせいにするという安易なほうを選ぶのです。

幼いうちから、自分の仕事をまかされてきた子は、くり返し自分の問題を解決してきていますから、問題処理能力を身につけています。親が過剰な保護をしない分、悩んだり考えたりと葛藤することが上手です。くり返すうちに、ほどほどに悩み、深刻になりすぎないやり方も学びます。

これらの学習を幼いうちに、親の大きな翼の中にいるうちに充分させてあげるのは、とても重要なことです。

親の翼の中はいつも安全です。いつだって親はサポートしてあげることができるのです。そこではどんな傷も葛藤も、すぐに癒すことができます。

その安全な場から離れるような時期になってから、一人で学ばなければならないとしたら、それはとてもつらいことではないでしょうか。

子どもの「困った！」や「居心地の悪い思い」をサポートしてあげましょう。自分の行動の結果を充分体験したとき、子どもは学びます。そして子どもは強くなります。

子どもに居心地の悪い思いをさせたくない、困らせたくないと親が手を出せば、子どもの未来の輝きはかき消されるのです。子どもを人生の被害者にしないため、親には勇気が必要です。

22 責任を教えられなかった子は変化におびえる

——責任

責任を教えるプロセスで、子どもが、自分の起こした行動の当然の結果を体験することはとても大切です。つまり、遅く起きた子どもが遅刻をして、その結果、先生に注意されて居心地の悪い思いをするのは大切なことです。ここで居心地の悪い思いをしないと、子どもは困りません。困らないと、現状を何とかしようとは思いません。

責任を学んでいる子どもは、そのプロセスで多くのことを学びます。その経験をくり返すことで、自分次第で結果が変えられることを知り、耐性（フラストレーションを処理する能力）や問題解決能力が育ちます。現実を見る勇気が育ち、成長しようという意欲も生まれます。反対に責任を学ばない子は、反応する能力に欠けるため、変化に対応することがうまくありません。次ページの通りです。

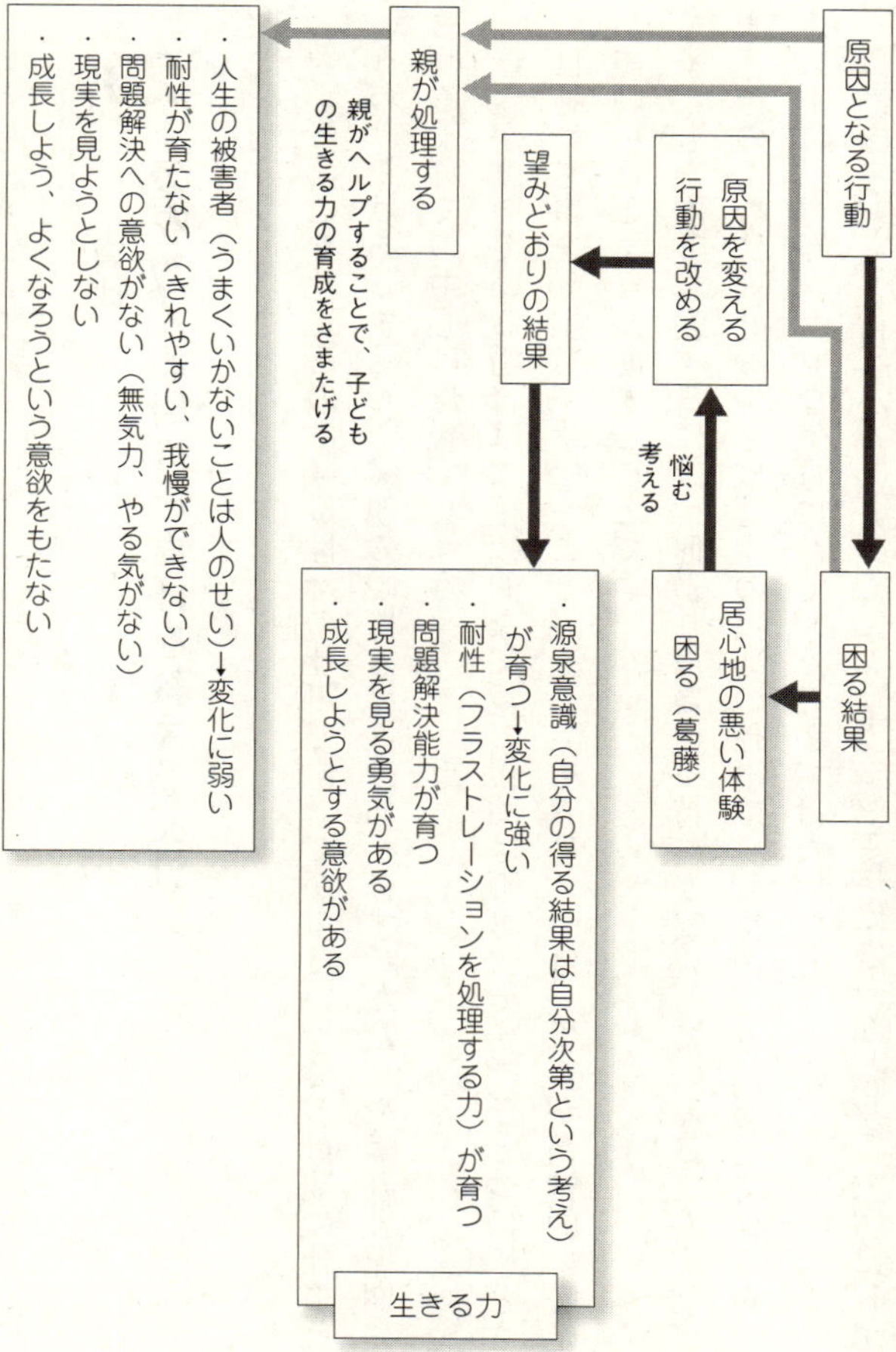
原因となる行動
困る結果
居心地の悪い体験
困る（葛藤）
悩む
考える
原因を変える
行動を改める
望みどおりの結果
・源泉意識（自分の得る結果は自分次第という考え）が育つ→変化に強い
・耐性（フラストレーションを処理する力）が育つ
・問題解決能力が育つ
・現実を見る勇気がある
・成長しようとする意欲がある
生きる力
親が処理する
親がヘルプすることで、子どもの生きる力の育成をさまたげる
・人生の被害者（うまくいかないことは人のせい）→変化に弱い
・耐性が育たない（きれやすい、我慢ができない）
・問題解決への意欲がない（無気力、やる気がない）
・現実を見ようとしない
・成長しよう、よくなろうという意欲をもたない

23 愛を教える母性と責任を教える父性

――責任

愛することを教えるのは「母性」の仕事です。だからといって、母親の仕事というわけではありません。父親の中にも母性はあります。ただ、やはり乳児期における子育ての中心は母親でしょう。

母親が働いている場合は、積極的な父親の援助は不可欠です。ひとつは子どもの世話や家事を分担して手伝うこと。そしてもうひとつは、母親が精神的に安定していられるよう援助することです。

子どもを保護し愛するには、何より母親の気持ちが安定していることが大切です。そのために、妊娠中、授乳中の父親の仕事は、直接子どもに対して何かをする以上に、母親を幸せな気分にしておくことではないでしょうか。

母性は子どもと自分の区別をつけず、子どもを自分の一部として大切にします。これまでお話ししてきたように、この母性による保護が子どもの自己肯定感のもととなります。

ところが、そのままの状態が続くと、子どもは責任を学びません。母性は、子どもの仕事と親の仕事を区別せず、本来子どもがやるべきことをヘルプしてしまうからです。母性は、子どもが居心地の悪い体験をするのを冷静に見守ることができません。

責任を教えるのは「父性」の仕事です。自分と子どもを別の存在ととらえ、子どものすべきことを子どもにやらせます。

父性は必要以上に子どもを守ろうとはしません。原因をつくった子どもに、その原因から起こる当然の結果を体験させようとします。子どもが居心地の悪い体験をするのをじっと見守り、未来に向けて子どもを強く育てようとします。

子育ての中心になる母親が、母性と父性をバランスよくもっている場合は、母親は状況に合わせてその両方をうまく使い分けることができます。

ところが、母親が非常に母性の強い人である場合、子どもの成長にともなって父親は母子の間に父性をもちこむことが必要です。母親のヘルプを抑え、子どもが自分の力で取り組むような環境をつくる役割です。

仕事の忙しい父親は、つい仕事にかまけ、家族の様子を観察するのがおざなりになりがちです。父親は、母親と子どもの様子をよく観察し、父性が充分足りているかどうかを見極めることが大切です。

反対に、父親が母性の強い家庭では、母親が父性を発揮しなければならないでしょう。

朝、起こさないことを決めた家庭で、最初に子どもが起きてこなかった日に、待てなかったのは父親だったという話があります。母親は「起きてくるから大丈夫」とどっしり構えていたそうですが、心配でたまらない父親が子ども部屋の前をうろうろし、母親を苦笑させたそうです。

大切なのは子どもが育つプロセスには、母性と父性の両方が必要だということ。包みこんでやさしく愛する母性と、距離をおき、本来学ぶべきことを学ばせる父性です。

24

朝起こさないことから始めよう
――責任

責任を教える第一歩として、朝、一人で起きることから任せてみませんか。やってみようと思われた方は、次の手順で始めてみてください。

①子どもと会話をする

「朝、親が起こすことは、子どもの自立の邪魔になるとわかった」と、あなたが理解していることをきちんと子どもに話してください。そして「明日から、朝起こさないことに決めた」と決意を伝えます。

このとき「突然困る。起こしてよー」と子どもからブーイングが出たら、「何言っているの！」とはねつけず、「そうだよね、困るよね」と共感を示し、なおかつ「起こさないと決めたの」と決意を伝えます。

②どのようなサポートができるかを話し合う

目覚まし時計を買ってあげるなど、子どもが一人で起きるために必要なサポートを話し合いましょう。

我が家では、私が若いころに使っていたタイマーを子どもにあげました。時間になると小型のテレビがついて娘を起こします。娘の仕事は、寝る前に必ずタイマーをセットすることでした。

③そして子どもを起こさない

始めて何日間かは、子どもはきちんと起きてくるようです。最初に起きてこないときの親の対応が、その後を変えます。

時間になっても起きてこないとき、それでもじっと我慢して起こさずにいれば、いずれ子どもは自分で起きるようになるでしょう。ここで、親が我慢できずに起こしてしまうと、またその日からずるずると古い習慣にもどってしまいます。

問題は、子どもが自分で起きないことだけでなく、親の一貫性のなさが伝わってしまうことです。「起こさないと言っても口だけ。最終的には起こしてくれる」と思われてしまっては、親の威厳が保てません。尊敬されない親は、子どもに責任を教えることが難しくなります。

いったん始めたら起こさないことです。

④子どもが一人でできたことを認める

最初の朝は、子どもが自分一人で起きられるようになったことをきちんと認めてください。

「自分で起きられたね。お母さんうれしいな」「やったな。すごいぞ」と、できていることを親が喜んでいると伝えてください。

自分で起きることができて、それを認められた子どもは自信を得ます。それは、自己肯定感にもとづく存在することへの自信とは異なり、具体的に結果を生み出せる自信です。

この二つの自信が合体したとき、生きることは楽しくなるのです。

25 ほめられて動く種、叱られて動く種、物で動く種

——人の役に立つ喜び

「子どものやる気を育てるためにほめて育てたいが、ほめてばっかりではしつけにならないと感じる。叱ろうとすると感情的になって怒っている自分に気づき、落ちこんでしまう。上手に叱るにはどうすればいいのでしょう……」

一見いい質問のように見えますが、ここにはいくつもの誤解が隠されています。

①「ほめることはいいことだ」という誤解
②「叱ることがしつけになる」という誤解
③「上手な叱り方というものがある」という誤解

これらの誤解を真実だと信じる人たちによって、間違ったしつけや子どもに対する動機づけがなされてきました。

ほめることを動機づけの基本として使う親は、子どもの中にほめられて動く種を植えています。この種を植えられた子どもは、ほめられて動くようになります。

叱られて動く種を植える親もいます。その子どもは叱られると動くようになります。叱らないと動かないから叱るのではなく、親が叱って動かす種を植えたから、子どもはそうしているだけなのです。

子どもの動機づけに、物を与えることもあるでしょう。手伝ってくれたらお小遣いをあげる、お菓子をあげる。お小遣いもお菓子も、お手伝いをした結果、またまふってわいたごほうびのはずです。それを動機づけの道具に使うと、いずれ子どもは、お小遣いをもらうためにお手伝いをするようになります。お小遣いをもらえないとやらない、また、やってもお小遣いがもらえないと腹を立てるようになります。

ほめることも叱ることも、物やお金を与えることも、すべて外からの働きかけで、外から子どもをその気にしようとする行為です。本当のやる気は外からはきません。本当のやる気は、子ども自身の中からわいてくるものです。親は子どもが幼いうちに、子どもの中に、子ども自身の中からわき出る、やる気の種をまくことができるのです。

そのやる気の種は「人の役に立つ喜び」です。この動機づけの種を植えることで、子どもは一生、健全なやる気を保つことができます。この動機づけで動くとき、私たちは大きな充実感を体験できるのです。

26 ほめ言葉は子どもを支配する。ほめて育てるのは危険

――人の役に立つ喜び

ある幼稚園の先生の話です。彼女は四歳児のクラスを受けもっています。かつては特に気にならなかった男の子Ｍ君の言動が、ハートフルコミュニケーションを学ぶようになって気になり始めたと言うのです。

Ｍ君はとてもいい子で、よく部屋のゴミを拾ってくれたり、先生の手伝いをしてくれたりするそうです。そこまでは何の問題もありません。ところが、そのやり方が気になるのです。

たとえば、先生が見ていることを確認してからゴミを拾い、彼女の視線を意識しながらゴミ箱に捨てます。そして彼女のところに来て、「ねぇ、先生、ぼくえらい？」と聞くそうです。しかも、かなりひんぱんにそれをやるらしいのです。

彼女もそれまでは「うん、えらいね」と対応していたのですが、「それって何

か変じゃないですか？」と言います。

きっと親は、M君をほめて育てたのでしょう。問題は、それ以前にM君の自己肯定感が育てられていなかったことです。M君は、ほめ言葉を親の愛を感じる方法として受けとるようになったのです。何かをしてほめられたとき、M君は愛されたと感じます。自分の存在が肯定されたと感じます。

そうしてM君は、安心したいときや親のぬくもりを感じたいときには、親がほめてくれそうなことをするようになったのです。そうすれば親は「えらいね」「いい子ね」と注意を向けてくれます。幼稚園においては、先生にほめてもらえるように、先生の見ていることを確認してゴミを拾うようになりました。

親にとっては、ほめ言葉というごほうびを使って子どもを支配できるのですから便利です。「いい子ね」と声をかけることで、暗に「言うことをよく聞けば、あなたを好きでいてあげますよ」というメッセージを伝えているのです。言うことを聞かせたいときは「いい子ね。○○してちょうだい」とごほうびをぶらさげることで、子どもは言うことを聞いてくれます。

自己肯定感が育っていない子どもにとって、ほめ言葉は、たちまちその子を支配する言葉となってしまうのです。ほめ言葉を使って、子どもを思うように動かす親と、親の愛を求めてほめられるためにいい子でいようと努力する子ども――この関係は、親にとっても子どもにとっても決して前向きではありません。

ほめ言葉を行動を起こす動機づけにしてしまうと、子どもはほめてもらうために行動を起こすようになり、ほめてくれる人がいないところではやる気になれません。あるいは、やったのにほめてもらえないと一人で傷つき、前進する気力を失います。

ほめる子育てに頼っていると、子どもの中に本来の自己肯定感を育てることはできません。本来の「自分はこれだ」「この自分が好き」という無条件の存在肯定ではなく、ほかの人がどう思うかによって自分の価値を決める、自信のない人間に育ってしまいます。ほめてもらえるかどうかが気になって、不安や緊張にしばられた毎日を生きることになりかねません。

大きくなっても常に自分をほめてくれる人を求め、ほめてもらわないと自分が大丈夫なのかどうかを自分で決められない、不安定な心のもち主になってしまう可能性もあるのです。

27 親は叱っているのでなく、自分の都合で怒っている

――人の役に立つ喜び

子どもをやる気にさせるために、叱るというのはどうでしょう。「何やってるの！　ほらさっさとしてよ」と声を荒らげることはありませんか。あるいは脅《おど》すという手もあります。「いい加減にしないとぶつわよ」「言うこと聞かない子は、うちの子じゃありません」。

叱られたり、脅されたりした子どもはおびえ、その不安を解消するために親の言うとおりに行動します。その結果を見て、親はしつけがうまくいったと内心喜びます。

これはしつけではありません。脅しという罰を使った支配であることを理解してください。ほめ言葉を使った支配が子どもにいい影響を与えないのと同じように、罰を使っての支配も、子どもの未来に大きな問題の種を植えることになります。

もし、叱ることに効果があるとしたら、それは命にかかわることを教えるときです。事故につながる可能性があったり、自分を傷つけてしまいそうな危険があるときは、すぐにやめさせて「ダメ！」と叱ることが大切です。

誰かを傷つけそうなときも同じです。子どもがふざけて危ないことをしているときは、すぐその場で叱るべきです。命が危険にさらされるという緊急を要することであると、その場で教えることが大切です。

それ以外では、子どもを叱ることは、害こそあれ何もいいことはありません。

それなのになぜ、親は叱るのでしょう。

実は、親は叱っているのではなく、怒っているのです。それは怒っている親の都合によるもので、子どものためではありません。子どもが親の思いどおりにふるまわないので、腹を立てて怒るのです。思いどおりにならないので、感情的になってその怒りをぶつけているのです。そして、怒りを使って子どもを支配しようとします。怒ることで子どもを親の思いどおりに動かそうとするのです。

感情的になって子どもを怒るとき、子どもはただの感情のはけ口にすぎません。問題は子どもではなく、子どもは単にきっかけをつくっただけ。怒っている親自身が問題を抱えているのです。

それがひんぱんであると、ターゲットにされる子どもの人格が危機にさらされます。親の怒りに動機づけられた子どもは、「怒られないために」という後ろ向きな理由で行動を起こすようになります。その動機づけが習慣になってしまうと、怒られないと行動を起こしません。そして行動するときはいつも、自分に怒りをぶつけた親に腹を立てながら行動することになります。この悪循環は、子どもに「愛すること」を教えるどころか、人を憎むことを教えてしまうのです。

怒ること、叱ることの多い親は、一度自分が何に腹を立てているのかを見つめ直してみてください。そこには、子どもに対する「～べき」という考えがあるのではないでしょうか。子どもは親の言うことを聞くべき、子どもは口答えをすべきでない……。その「～べき」があなたに腹を立てさせます。でも、その「～べき」は本当に正しいでしょうか？　理にかなっていますか？

理にかなっていると思うなら、怒らずに、子どもにその理（ことわり）を教えてください。もし、理にかなっていないと思われるなら、親の不機嫌を子どもに押しつけるのはやめましょう。

28 人の役に立つ喜びこそ副作用のないやる気の種

——人の役に立つ喜び

私たち親は、社会的マナーとして「お年寄りに席をゆずろう」とか「困っている人には親切にしよう」と子どもに教えます。これらのマナーの基本は、人の役に立とうとする気持ちです。

ですから、「人の役に立つ喜び」を教えることができれば、マナーの内容を逐一言って聞かせる必要はありません。子どもは自然に人に親切にするようになります。「人の役に立つ」というのは、副作用のない動機づけであり、すべてのマナーの基本です。

これに対し、ほめられて動く種を植えられた子は、ほめられるという見返りがないと動きません。

叱られたくない、怒られたくないという動機づけはどうでしょう。これも立派な動機づけではありますが、親子という長期にわたる関係を維持するには、あまりにも否定的な要素が多すぎます。

これらの副作用の多い動機づけの種のかわりに、「人の役に立つ喜び」の種を植えることで、子どもを肯定的にやる気にさせることができます。

「人の役に立つ喜び」を基本的に知っている子どもは、ただ人の役に立つために行動を起こします。そのこと自体が喜びなのですから、相手が何かを返す必要はありません。相手からの見返りを求めてやっているのではないのです。この動機づけには副作用はありません。

大人である私たちが動機づけられるのはどんなときでしょう。

・子どもの寝顔を見ると元気になる
・仕事の達成をみんなが喜んでくれたとき、次も頑張ろうと思う
・ここまでやれば家族に楽な生活をさせてやれると思うと、やる気がわく
・人の笑顔がうれしくて、つい何かしてあげたくなる
・仲間の成長や幸せな姿を見ると、「もうひと頑張りしてみよう!」と思える
・家族の団らんが楽しみでふんばれる

これらの動機づけには、誰かが喜ぶ、誰かが幸せになる、というように、必ず人が登場します。そのために自分が役に立てるのは、私たちにとっては非常に大きな喜びです。

人は本来、人の役に立ちたいと願っています。この存在を使って人の役に立つことができるとしたら、こんなうれしいことはありません。ほめることや叱ること、物やお金でつることは、人の役に立ちたいという願いを殺してしまうことになるのです。

29 どうやって「人の役に立つ喜び」を教えるか？

——人の役に立つ喜び

では、どうやったら、「人の役に立つ喜び」を教えられるでしょうか。これはそれほど難しいことではありません。

まずは親の役に立ってもらうことから始めましょう。親の用事をやってもらうのです。二歳にもなれば、いろいろと親の役に立つことができるようになります。新聞を取ってくるような簡単なことから始まり、子どもにできるお手伝いはたくさんあります。どんどん手伝ってもらってください。

子どもが手伝ってくれたら、子どもをほめないことが大切です。「いい子ね」「えらいぞ」というほめ言葉ではなく、子どもが手伝ってくれたことに感謝し、喜んでください。子どもが親のために働いたときに、親がどう感じたか、気持ちを教えてあげてほしいのです。

「ありがとう」「お父さん助かったよ」「うれしかった」という具合に、自分の働きが親にどのような影響を与えたかを教えてあげてください。

「いい子ね」「えらいぞ」と言われて悪い気はしませんが、この言葉では、自分の働きが相手にどのような肯定的な影響を与えているのかはわかりません。なぜならそれは、親が自分の働きに対してどう感じているかの言葉ではないからです。

子どもが新聞を取ってきてくれたとき、「ありがとう。お父さん、起きてすぐ新聞が読めるからうれしいな」。子どもがお茶碗を並べてくれたとき、「お母さん、この時間とても忙しくて。あなたがいてくれるから助かるわ」という具合に、親がどのように喜んでいるか、感謝しているかを伝えます。

用事をやってもらうたびに言う必要はありませんが、余裕のあるときはこのような声かけをすることで、子どもは次第に、自分の手伝いが親に肯定的な影響を与えていることを知ります。それが、子どもにとってどのくらい大きなことかわかりますか？

子どもにとって親は絶対です。とても大きな存在です。その大きな存在に対して、自分が役に立てる――これは喜び以上のものがあります。自分を、そんな存在として受けとることができるのです。

こんな報告をしてくれたお母さんがいました。四歳のボーッとした長女（お母さんはこう形容しました）が、洗濯物を干しているときに、赤ちゃんが泣いていると知らせてくれました。これまでなら「あ、はいはい」と、赤ちゃんのところへ行っていたのですが、お母さんがどう感じたかを伝えるようにしてみたそうです。

「戸を閉めていたから聞こえなかったのね。あなたが教えてくれなかったら、お母さん、知らずにいるところだったわ。ありがとう。うれしいわ」

何度かやっているうちに、子どもの様子が変わってきたと言います。ボーッとしていた受け身の子が、お母さんのために何かしてあげようとしているのがわかると言うのです。

そのお母さんはこうも言いました。

「でも、これって大変です。親もボーッとしてられなくて。子どもが何かやってくれたとき、きちんと言葉で、どう助かったか、なぜうれしいかを言わなきゃいけないんですよね」

そのとおりです。

子育てとは、親が、自分の気持ちをいかに言葉豊かに伝えるかを学ぶチャンスでもあります。そのとき親は、子どもの中に「人の役に立つ喜び」の種を植えることができるのです。

30 共感したとき、子どもは自ら動きたくなる
――人の役に立つ喜び

ふだんから自分の働きが親の役に立っていることを知っている子どもは、外に行ったときも人の役に立とうとします。それが社会的なマナーです。電車やバスで席をゆずる。困っている人に手を貸す。学校で誰かがやらなければならないことを進んでやる。「やりなさい」と言わなくても子どもは気づき、子どもの中から自然にやる気がわいてきます。もちろん、親がその見本を見せることが求められますが。

ある男の子のお母さんの話です。

家ではまったく親の手伝いなどしない子なのに、学校の先生から、クラス行事のときなど、率先して準備などの目立たないこともやってくれるとほめられました。お母さんは、家では何にもしないのに、なぜ学校ではそんなことができるん

だろうと首をかしげます。「手伝って」と声をかけても、そんなときにかぎって「宿題があるから」と取り合ってくれないのです。「まったく外面《そとづら》のいい奴《やつ》だ」くらいに思ったようです。

原因は先生でした。担任の先生は、何かにつけ子どもたち一人一人に感謝し、喜びを伝える人だったのです。それがわかって、親も家庭で同じことを始めたそうです。

子どもが最初に出会うコーチは親です。親にしか教えられないことがたくさんあります。親として、ぜひベストを尽くしていきたいと私は思っています。同時に、保育士さんや幼稚園の先生、学校の先生も、子どもに大きな影響を与える可能性のある人たちです。そのすべての人たちに、今一度、自分の気持ちを言葉で表すことの重要さを確認していただきたいと思います。

子育てのとき、私たちは、子どもにしてほしいことやすべきことを、指示、命令で伝えることが多いようです。子どもをきちんとふるまわせることに忙しく、自分自身がどう思うか、どう感じるかを伝えることは少ないようです。

ところが、子どもが共鳴し、共感して、自ら動きたくなるのは、気持ちを聞かされたときなのです。

私にも記憶があります。私の母は、私が子どもだったころ、百坪ほどの土地で家族が食べる野菜をつくっていました。日曜日になると、いつも母と畑に行って、畑仕事をしたものです。草取りが終わったら、次は苗に水をやって、その次は……母はどんどん用を言いつけます。近所の子たちは遊んでいるのに、何で私だけ畑で働かなければならないのだろうと思ったものです。

母は「こんなことぐらいできなくては、大きくなって何にもできないよ」と言います。そう言われるたび、「何にもできなくてもいい……」と思ったものです。

でも、母はときどき、つくづくとこんなことを言うのでした。

「手伝ってくれて本当にありがとう。あんたが手伝ってくれるおかげで、お母さんは助けられている」

すると私は、次の用を言われる前にどんどんと仕事を片付けたものです。母の役に立ちたかったのです。母が喜んでくれるのは、私にとって心躍ることでした。

同じことをやらせるとき、心躍る思いで喜んでやらせるのと、いやいややらせるのとどちらがいいでしょう。答えは明白ですね。心躍る思いで喜んでやらせるには、親や先生が自分の気持ちを子どもと分かち合うことです。感謝や共感の中でだけ、子どもに大切なことを教えることができるのです。

第３章

子どもを幸せにするしつけ

「しつけ」とは、親の言うことを聞かせることでも、親の思う「いい子」にすることでもありません。人と一緒に幸せに生きていくためのあり方を教えることです。

31 叱ることがしつけではない

「しつけのつもりだった……」。子どもを虐待死させる親の言い訳になるほど、しつけと虐待は紙一重です。それは「叱ることがしつけになる」と誤解しているところから始まります。そもそも「しつけ」とは何でしょう。

しつけは「子どもが自立して幸せに生きることができるよう、基本的な生活習慣や社会的マナーを親が子どもに伝える行為」と言うことができるでしょう。

しつけはまず、親が「子どもを幸せにする基本的な生活習慣や社会的マナー」が何であるかを定義することから始まります。ところが、ほとんどの場合、親ははっきりした定義をもっていません。ただ漠然とした「理想の子ども像」をもって、それにそって思いどおりにならないと子どもに怒りをぶつけているだけなのです。

中には、こんなふうに言う人がいるかもしれません。

「いえ、私は子どもにたいした理想はもっていません。元気に育ってくれれば充分です」

本当にそうでしょうか。私たちの子どもに対する期待は無意識です。無意識なので、自分が期待していることにすら気づいていません。そして、無意識のその期待どおりに子どもがやっていないと、「しつけ」と称して小言を言うのです。

それは、親の「理想の子ども像」にもとづき、現実の子どもに向かって「お前はこの子（理想の子）じゃない」と言い続ける行為です。そしてその行為は、「この子じゃないから愛せない」「この子になったら愛してあげるよ」というメッセージとして伝わる危険性があるのです。

親が「子どもが自立して幸せに生きることができるよう、基本的な生活習慣や社会的マナーを伝える行為」と思ってやっていることが、子どもには「愛されていない」と伝わってしまうのです。親がはりきって、いい子になるようにと言えば言うほど、反対の結果になってしまい、子どもとの溝が深まるのです。

まず、あなたがもっている「理想の子ども像」に気づきましょう。

・朝、自分で起きる
・素直である
・身じたくが速い
・進んで手伝いをする
・好き嫌いせず何でも食べる
・よく勉強する
・いつも機嫌がいい
・きょうだいげんかをしない
・親の言うことをよく聞く
・わがままを言わない
・ハキハキしている……

あげればきりがありませんね。あなたの「理想の子ども像」は、しつけの基準にするのに最適ですか。

32 怒りの自動スイッチをリセットすることから始めよう

九七ページで、親が叱るのは子どもに命の大切さを教えるときだけと述べました。それ以外はほとんど叱っているのではなく、親の都合で怒っているのです。

まず、自分が自分の都合で怒っていることに気づきましょう。

普通、私たちは無意識に怒りを感じ、無意識に子どもに怒りをぶつけてしまいます。子どもを怒るとき、私たちは無意識のうちに自動スイッチが入っているのです。しばらく怒ってから自分の怒りに気づき、怒りを子どものためと正当化したり、子どもに八つ当たりする自分を責めて、落ちこんだりします。また、怒りをぶつけるところまではいかないまでも、ブツブツ小言を言い続けます。

子どもを幸せにするしつけを実行するにあたって、最初に自分の自動スイッチを切ってリセットすることを提案します。まず、あなたの生活から、子どもに対する指示、命令、小言をなくしてみませんか。

指示、命令、小言を排除すると、たとえば、あなたの朝のセリフが変わります。「早く起きなさい」「さっさと食べて」「早くしないと遅れるわよ」「何してるの！　グズグズしないで早く行きなさい」ではなく、「おはよう」「いいお天気ね」「おいしい？」「気をつけて行ってらっしゃい」となります。

難しいと感じるなら、とにかくしゃべらないことから始めてもいいでしょう。しゃべらないでどうするか？　にっこりほほえんで子どもを観察していてください。指示、命令、小言の多い親に育てられている子どもは、親をうるさいと感じています。親が好きで愛されたいと望みながら、うるさいと距離をおいているのです。

まず、親子の間の距離を埋めましょう。指示、命令、小言を一切排除したとき、あなたに何が起こるか観察してみます。同時に、子どもに何が起こるかをよく観察してみてください。

問題となるのは怒りです。怒るときは自動的にカッとなっていますから、自己制御が難しいのです。まず、子どもに怒りをぶつける前に何とか自分で気づくよう、習慣づけることが大切です。気がつけば怒りをぶつけずにすみます。

怒りをぶつけない方法を二つご紹介しましょう。怒っていると気づいたら、次のことを実行してみてください。

①「アー、怒ってきた！　アー、怒りそう！」と、目の前の空間に向かって自分の状態を叫ぶ。しばらく大声で言っていると、落ち着いてきて子どもに怒りをぶつけずにすみます。

②とりあえずその場を去る。別の部屋に行くとか、ベランダに出るとか、トイレへ行くとか。とにかく子どもから離れます。目の前に怒りの対象がいなければ、次第に気持ちもしずまってきます。

そうやって気持ちを落ち着かせ、落ち着いたところで子どもと話します。何に怒りを感じたか、何がどのように問題だったか、どうしてほしいか、子どもに伝わるように話します（第4章「心を結ぶ聴き方・伝え方」一六三ページ～参照）。

これまでの子どもとのコミュニケーションに反省すべき点があると思われた方は、以上のような方法で自分をリセットしましょう。まず自分自身をリセットすることで、親子の関係がリセットできるのです。

それから、子どもを幸せにするしつけが始まります。

33 どう生活するか、まず親が「枠組み」をはっきり示す

子どもに好き勝手をさせるのが自由に育てることと誤解して、本来親が教えなければならない生活の仕方を教えていないケースによく出会います。

子どもの自立のプロセスは、「自律」を教えるプロセスです。生きたい人生を自由に生きるということは、同時に、自由を手に入れるためにしなければならないことをきちんとすることでもあります。このことをきちんと教えなければなりません。責任がともなって初めて、自由が成立するのです。

自分を律することのできる人だけが、本当の自由を手に入れます。自由を認めることと、好き勝手にさせる放任は異なるのです。

自律を教えるために、子どもにとっての「生きやすい生活習慣」を身につけさせることが大切です。その生活習慣を実行する中で、子どもは自分を律すること

を学びます。

生きやすい生活習慣とは、楽に気ままに、やりたいようにやるということではありません。それは、将来においても子どもの財産となりうる習慣を指します。その習慣にしたがっていれば、人とのいい関係を維持できるとか、体調がいいとか、楽しい時間を過ごせるとか、気持ちよく生活できるとか、浪費を防げるなどの、生活を豊かに安定させることのできるものです。

そのためには、まず親が生活の「枠組み」をはっきりと示すことが大切です。どう生活するか、どのような環境で暮らすか、どのようなスタイルで暮らすか、何を大切にするかなど、枠組みは親の価値観をはっきりと表すものです。

親は子どもに何を教えるか以前に、まず自分がどう暮らしたいかを考えましょう。そして、それを子どもの暮らしにどう反映させるか考えましょう。

枠組みをはっきりもつことができれば、親自身がその日の気分に振り回されることはありません。親自身が世間にあふれる情報に振り回されずに、子どもの将来を考えることができるのです。親自身の価値観は、多くの場合、そのまた親から学んだものが基本となっています。子どもに伝える前に、自分が受けついだ価値観が本当に子どもに伝えていきたいものかどうかを吟味しましょう。

親が生きていきたい枠組みがはっきりしたら、その枠組みの中での細かいことは子ども自身にまかせます。

四、五歳にもなってくれば、好みややりたいこともはっきりしてきます。同時に、一人一人の子どもの気質タイプもよく見えるようになってきます。親の大きな枠組みからはみ出さないかぎり、その中での自由を認めることは、子どもに責任を学ばせる第一歩となるでしょう。自由があるところでは、子どもは自分の言動の当然の結果を体験し、自ら学ぶことができるのです（七六ページ参照）。

では、「子どもが自立して幸せに生きることができるような、基本的な生活習慣や社会的マナー」とはどういうものか、生活の枠組みはどんなことに対して示していけばいいのか、次の項で具体的にいくつか項目をあげて見ていくことにしましょう。そして、それをどのように子どもに伝えることができるかを考えていきましょう。

ただしこれは、それぞれ親の価値観によって変わってきます。次項の例を参考に、それぞれのご家庭で話し合いされることを提案します。

34 生きやすい生活習慣を身につけさせるには

《早寝早起き》

朝起きられないという子どもの就寝時間を聞いてみると、結構よいっぱりで、親と一緒に遅くまでテレビを見ていたりします。それでは、朝がつらくて起きられないのももっともです。

幼稚園や学校に行く前の小さな子どもならいつまでも寝ていられますが、大きくなるとそうもいきません。年齢にしたがって、何時には寝るという習慣を身につけさせましょう。

充分に睡眠をとれば、朝は気持ちよく目覚めることができます。気持ちよく一日をスタートさせて、精いっぱい活動することができます。幼稚園や小学校が始まる直前にあわてて習慣づけるのではなく、それ以前から生活の中に組みこんでいくことをおすすめします。

朝、子どもが起きる時間と子どもの睡眠時間を考えて、就寝時間を決めましょう。そうすれば朝からうるさく起こさなくても自分で起きやすくなり、「早く、早く」とせかさなくてもしたくができるようになります。

親の職業によっても影響を受けますが、何とか工夫して生活リズムを整えてください。

《食事》

睡眠と同じく、生活の基礎となる大切な習慣です。ファーストフードやインスタント食品など、今の時代は、子どもに口当たりのよい食べ物がたくさんあります。調理の手間がいらず、簡単にすむので、ひんぱんに食事に取り入れている親も少なくないようです。

以前、会社に派遣できていた女性と、ランチをとりながら食事について話したことがあります。彼女はファーストフードのハンバーガーを食べていました。

「たまにハンバーガーを食べたくなるよね」と言うと、「うちは週三回は夕飯にハンバーガーショップに行く」と言います。夫が仕事で遅くなるので、子ども二人を連れてよく利用すると言うのです。「だって私、煮物できないし、魚焼くと家がにおうからいやなの」。余計なお世話とは思いながらも「食習慣って大切よ」と話したのを覚えています。

彼女は特別なケースかもしれませんが、朝ご飯を食べさせずに学校に送り出す親の話や、家族が一緒に食卓を囲まない家の話を耳にすることは少なくありません。三食をきちんととることや、家族と共に食事をすることの大切さを再確認する必要があります。

体をつくるのは食べ物です。体にいいものを親の手で調理し、家族で食卓を囲むという、当たり前の食の姿を子どもに見せていきたいものです。

《身のまわりを整える》

気持ちよく過ごせるよう、生活環境を整えることを教えます。体を清潔に保ち、使った物を片付け、自分の所有物を自分で管理することを教えます。

ただし、気持ちよく過ごせる環境の基準は人によって異なります。ほこりのかけらも気になる人がいれば、多少のことは気にしない人もいます。自分の基準を子どもに押しつけるのではなく、ほどほどを心がけましょう。

私はこのことを娘にうまく教えられませんでした。私自身が整理整頓《せいとん》がうまくないうえに、忙しく働いていたこともあり、常に家の中を整えておくことがかなり難しかったからです。案の定、娘も整理は下手でした。長く伸ばした髪をきれいにとかすこともいやがりました。髪がからんで痛いと言うのです。

私は自分の失敗を認め、うるさく言うのをやめて、その日が来るのを待ちました。娘が髪の手入れを始めたのは小学四年生のとき。部屋を整頓し、物をきちんと管理し始めたのは中学二年生のときでした。

私がうまく教えきれなかったことを棚に上げ、うるさく言い続けたとしたら、彼女は自らやる気を起こさなかったでしょう。かえって反発を感じ、親のいやがるようなよくないマナーを身につけたかもしれません。

《自分と人・自分の物と人の物の区別》

自分と人、自分の物と人の物に区別をつけ、自分と自分の物に責任をもち、人や人の物に敬意を払うことを教えます。

私が幼いころ、近所にお使いに行くと、ちょっとしたごほうびがもらえました。「ちょっと待ってて」と言われ、紙に包んだお菓子が手渡されます。ワクワクしたものですが、勝手に食べることはできませんでした。いただいたものは母に見せなければ食べてはいけないと、きつく言われていたからです。母に見せてはじめて、私のものになるのです。

私は娘にも同じように教えました。人が買ってきた物を食べるとき、使うとき、必ず娘は「これ食べていい?」「使っていい?」と許可を求めました。先日、私の携帯にメールが入りました。「五十円切手一枚ください」。笑ってしまいましたが、その切手が私の物であるかぎり、許可を求めるのは当然です。

このように自分の領域と人の領域を区別することを教えることで、自分の領域に責任をもつことと人の領域に敬意を払うことを教えることができます。よその家に行って勝手に冷蔵庫を開けたり、欲しいからと勝手に物を持ち出したりすることはありません。

そうやって何かにつけて許可を得ていた子どもが、突然いちいち許可を得なくなっていることに気づく日がきます。そのときが、子どもが自分の判断を信じ始めている時期です。人や人の物に敬意を払っているかぎり、その成長を認めましょう。

《お金の使い方》

年齢に合わせてお小遣いを与え、管理しながら上手にお金を使うことを教えます。

我が家では、小学校高学年になってはじめてお小遣いを与えました。月に五百円から千円ぐらいで決して多い額ではありません。それを干渉せずにうまく使うよう見守りました。

「どのようにお金を与えればいいですか」という質問をよく受けます。

家の手伝いやテストの点数でいくらと決めてお小遣いを与える、という親がいましたが、そのやり方には賛成できません。家の手伝いは家族の一員として当然のことです。また、テストで何点取るかは子どもの問題です。親のために勉強してもらうわけではないので、それによってお小遣いを与えるというのも変な話です。

現在、高校生の娘のお小遣いは六千円です。半分以上が週二回利用する学生食堂の費用に消え、残りが自由になるお金です。この中から、彼女は一定額を超えた場合の電話代を家に入れます。長時間電話で話せばお金がかかり、それは自分で払わなければなりません。それができないのなら、電話の時間を短くするなど当然の理を教えることが大切です。足りなくなると、お年玉などでもらったお金をきりくずして使っているようです。

足りなくなったら親にねだるのではなく、あるお金を大切に使い、その中で生活することを体験させましょう。

《勉強》

勉強ができるかどうかは、頭のよしあしではなく、勉強ができる環境があるかどうかによります。学校まかせにしないで、小さいころから家庭に環境をつくるのが親の仕事です。

我が家では、子どもの質問をないがしろにしないよう心がけました。読書も大切にし、赤ちゃんのときからよく本を読んで聞かせて、読書の楽しさを伝えました。マンガも大いに歓迎しました。娘は、漢字を『ドラえもん』に教わったと言います。

読書は子どもの想像をかきたてます。想像は子どもの創造力を育てます。夜には布団にもぐって、よくお話をつくったものです。話が佳境に入ると、親子して興奮し、笑い、寝るどころではなくなることもしばしばでした。学ぶことは楽しくなければなりません。親にとっても楽しめる方法を考えてみてください。

勉強は自分のためにするものです。いい点数を取るためとか、いい学校に入るための勉強ではなく、広く知識を求める勉強をさせたいものです。その知識を使って、世の中の役に立てるようになるためです。

ブランドの幼稚園や学校に入学させるための「お勉強」に、どれほど意味があるかはわかりません。親自身もブランドに頼る生き方をやめ、本来子どものもつ能力を開花させることを考えたいものです。

《言葉遣い・マナー》

人が物事を学ぶ方法のひとつに、モデルのまねをするというのがあります。子どもが言葉を話せるようになるのは、身近にいる人のまねをするからです。ですから、身近にいる親が子どもに話しかけないと、子どもは話すことを始めません。

子どもの言葉遣いは、ほとんどすべて親から学ぶと言っても過言ではありません。親が子どもに対して丁寧な言葉を使うと、子どもはそれを学習します。小さいころに親から学んできた言葉が基本になり、子どもは新しい言葉を獲得していきます。

幼稚園に行き始めて急に言葉遣いが悪くなったという話がありますが、基本さえできていれば何も心配はありません。子どもに何か頼むとき「お願いします」と言えば、子どももそのように話します。「〜ください」と言えば、子どもも「〜ください」と言います。

マナーに関しても同じです。特別にうるさく言う必要はありません。親がモデルとなって、子どもにやってほしいと思うことを自分がやってさえいれば、いずれ子どもはそうするようになります。挨拶《あいさつ》も、靴をそろえることも、手を洗うことも、まず親がして、あとは声かけをすれば子どもは自然に学びます。それをきちんと確実にさせようと力を入れると、子どもは反発します。親のあせる気持ちで、子どものいい芽を摘みとらないよう気をつけましょう。

子どもは、親がこうしろと言う子どもにはなりません。親がやっているとおりの子どもになります。

《物をやたらと与えない》

愛の証《あかし》として、やたらと物を与えられた子どもは幸せにはなれません。

本来子どもが欲しいのは親の愛情であって、おもちゃやお菓子などの物ではありません。勘違いする親や祖父母は、愛の証として、欲しいという物を何でも買って与えます。たくさんの物を与えられた子どもは、愛情を感じるために物を欲しがるのです。

ところが、本当に欲しいのは物ではないため、いくら与えられても満足できず、もっともっとと求めてきます。心の渇《かわ》きを癒すために、新たな物を手にする一瞬の喜びを求めるのです。

子どもが、必ずしも生活に必要でない物を欲しがったら、誕生日まで待たせたほうがいいでしょう。本当に欲しい物なら待てるはずです。待てないとしたら、それはその物が欲しいのではなく、愛情を求めて満たされない心の隙間《すきま》を物で満たそうとしているのです。心の隙間を満たすのは誕生日まで待てないからです。デパートやスーパーなどで、買ってほしいと駄々をこねている子どもを見かけます。そんなときこそ親の枠組みが試されます。子どもがうるさいからとか、まわりの人に対して体裁が悪いからとかいう理由で、子どもの言うなりになると、親の枠組みはくずれ、子どもにとって生きやすい習慣を身につけさせることはできません。

また、大きくなった子どもが高価なものを求めたら、「お金を貯めて買いなさい」と励ましてあげてください。

《選択を与える》

私の友人は、子どもが幼いころから、何かにつけて子ども自身に自分の使う物を選ばせたそうです。お茶碗なら陶器の物を使わせると決めて、「どれでも好きな物を選びなさい」と子どもに選ばせます。そうすると、子どもはお茶碗を大切に扱うそうです。

確かに人は、自分が好きで選んだ物は大切にします。幼い子どもも同じです。同時に、意識的に選ぶことで、その後に起こることが自分の選択の結果であることを理解します。押しつけの多い親の子が親の被害者になりがちなのに対して、選択の自由が与えられ、自由に選ぶことをくり返してきた子どもは、自分の選択に責任をとろうとします。

何を着るか、何を使うかなど、何かにつけ「あなたはどれにする？」と子どもに選択させるようにしましょう。たとえば、とても寒い日に子どもが薄着で出かけようとしたとします。ヘルプする親は「もう一枚着なさい」と言うでしょう。ここで選択を与え、子どもをサポートしてみましょう。

「こんな日は寒さに備えてもう一枚着るか、そのまま出かけて寒さに耐えるか、どっちがいいかな？」

薄着を選んだ子どもは、寒さに苦しむと、次から気をつけます。「お母さんの言うとおりにもう一枚着ていけばよかった」と言うかもしれません。もし薄着で問題がなかったのなら、それはそれでいいではないですか。

《テレビやゲーム》

テレビもゲームも悪いものではありませんが、それに依存してしまうと問題です。最近では、特に創造性を開発したい時期に受け身になりがちなゲームなどを長時間やると、脳にも悪影響があるといわれています。

最初にするべきは、禁止したり、時間を決める以前に、ほかに取り組むことのできるものを見つけることでしょう。テレビやゲームよりもっと夢中になれることがほかにあれば、親も目くじらを立てずにすみます。子どもの嗜好《しこう》を観察してください。お子さんは体を動かすことが好きですか？　それとも手先を使うことが好きですか？　そうやって観察し、何か夢中になれるものを見つける努力をしましょう。

それでも、テレビやゲームを完全に子どもの生活から排除することは難しいとしたら、時間を決めてやらせることもできます。そのとき、うるさく言うのではなく、管理を子どもにまかせてはいかがでしょう。

いい習慣づけがうまくいかずに困っていたお父さんは、あるとき息子と向き合い、「君がきちんと時間を守ってゲームを楽しむことを、お父さんはどうやって援助できるだろう」と話し合いました。「夢中になって時間が過ぎるのを忘れてしまう」と言う息子に、お父さんは大切にしている腕時計を渡して言いました。「お父さんの時計をお前に預けよう。時間になれば音が知らせてくれるから、それで自分で管理してやってごらん。君ならきっとできるよ」

お父さんの信頼を背に、時計が鳴ると、もっとやりたいという気持ちを律して、彼はゲームを終わりにします。一週間後、お父さんは「頑張っているみたいです」と連絡をくれました。

35 生活の枠組みを「ルール」として示す方法も

生きやすい習慣を身につけさせるプロセスで、親の価値観を表す枠組みを「ルール」というかたちで表現することもできます。ルールというかたちあるものにすることで、子どもも親に何を求められているのかがよくわかります。枠組みは親の考え方であり、それを約束事にしたものがルールと言えるでしょう。

人が集まって共にプレーするゲームには、必ずルールがあります。ルールがあるからプレーが成立するのです。サッカーのフィールドに、ボールをもって走るプレーヤーがいてはゲームになりません。ルールを無視してはゲームには参加できないのです。

生活も同じ。ルールにしたがって共に暮らせる人が、家族と一緒に楽しい時間を過ごすことができます。

前項の枠組みをルール化すると、どんなふうになるでしょう。例をあげてみましょう。

・決まった時間に寝る
・決まった時間に自分で起きる
・おやつは四時までにする
・リビングに自分の物をおきっ放しにしない
・人の物を勝手に使わない
・宿題は夕食前に終える
・約束を守る
・テレビは二時間まで

ルールは、子どもが人と共に楽しく生きるための基本的なマナーを身につけるためのものであることが大切です。子どもの自由や創造性をつぶすものであってはなりません。

また、ルールをたてにとってこのとおりしなさいと押しつけたり、ルールどおりにしなかったと親が子どもに罰を与えるのは賢明ではありません。乳児期から親の枠組みを子どもに伝え続ければ、あえてルールとしなくても子どもは「そういうもの」として受け入れ、それにそって生きていくようになります。

我が家でもあえてルールとしたのは、おやつの時間ぐらいです。それ以外は自然と守られ、守らなかったときはその当然の結果を体験し、責任をとることになります。

36 枠組みやルールを機能させる親の努力

枠組みやルールがはっきりしたら、よほどのことがないかぎり日常生活で守れるようにしましょう。枠組みをキープするには親の努力も必要です。枠組みにそって、親自身が自分を律しなければなりません。

もし子どもが、親が設定した枠組みからはみ出したり、決められたルールを守らないときは、それによって起こってくる当然の結果を体験させます。いくつか例をあげましょう。

《朝、時間になっても起きてこない》

うるさく起こしたり、起きてこないと小言を言うことはありません。寝過ごしてご飯を食べる時間がなければ、空腹を体験してもらいます。時間に起きなかったのは子ども自身ですから、その当然の結果を体験させるのです。
空腹でつらい思いをして困れば、子どもは考えます。時間どおりに起きて食事をし、快適に過ごすことを子ども自身が選ぶことが大切です。

《持ち物に気をつけずなくしたり、忘れ物をする》

忘れ物をしても届けたりしてはいけません。自分の忘れ物の当然の結果を、子どもは学校で体験するべきです。きちんと管理しないためになくしてしまっても、かわりの物を買ってあげるのはやめましょう。物をなくしてしまう管理の悪さは自分の責任です。当然の結果を体験させましょう。
それがつらいことだったり、困ることであれば管理をきちんとするようになります。

《買う予定のない物を買ってくれと駄々をこねる》

お店などで最初に駄々をこねたときの対応が大切です。「買いませんよ」とやさしく伝えて前に進みます。子どもは泣きながらついてくるでしょう。怒ったりなだめたりしないことです。

親が「買わない」と言ったら本当に買わないとわかれば、自分の言動（駄々をこねる・泣く）が役に立たないという当然の結果を体験することができます。一回でも要求が通ると、子どもは自分の言動が役に立つと学びます。すると、欲しい物があるとデパートの通路で寝転び、ますます激しく駄々をこねるようになります。

《呼んでも何かに夢中で食事に来ない》

一度声をかけたら、うるさく何度も呼ばない、食事の途中でやってきても温めなおしたりはしない、たとえ食事中に来なくても、食事が終わったら片付けることです。「欲しかったら自分で温めて食べてね。お母さん、用があるから、後片付けも自分でお願いね」とやさしく伝えましょう。一人で冷たい食事をする体験で、子どもは何かを考えます。

《洗濯物を出さない》

親が部屋から洗濯物を拾ってきて洗ったりはしません。また、子どものかばんから体操服などを出すようなこともしません。洗ってほしい物は、自分で決まった場所におくようにさせます。それをしなければ、子どもは汚れたものを着ていくことになるのです。

幼稚園のころにはなるべく声かけをしますが、ある時期がきたら声かけをしなくても自分でできるようにしましょう。

お風呂の脱衣所に洗濯かごをおけば、幼いときから服を脱いだらかごに入れるという習慣をつけることができます。うるさく言わなくてもできるような環境づくりが大切です。

《朝のしたくが遅い》

子どもは何でも遊びながらやりますから、時間がかかります。着替えも同じです。見ているとイライラしますが、「早くしなさい」とうるさく言わないで待ちます。

私は子どもが遊びたがるのを利用して、幼稚園時代は朝のお着替え競争をしました。朝のしたくは着替えを最後にして、時間になると「さあ、お着替えの時間！」と叫んで自分の寝室に飛びこみます。娘は「ちょっと待ってー」と自分の部屋から洋服をもってきて、「ヨーイ、ドン」で着替えを始めます。そのうち娘は、時間になると着替えを用意して親を待つようになりました。

《約束したことをズルしてやろうとしない》

家事を頼んだら、それが終わるまでやりとげることを期待してください。やってないからといって「仕方ないわね」と親がやってしまったら、子どもは約束をはたさなかった当然の結果を体験しません。同時に「約束しても、やらなくて平気」になってしまいます。頼むときは、なぜそれが重要かをきちんと伝えます。「プールへ行くために、みんなで仕事を分担して片付けましょう。あなたは台所を片付けてね」と役割を分担してもやらなかったら、その子はプールへ連れていきません。あるいは関係者一同集まって、プール行きをもう一度話し合ってもいいでしょう。そんなとき、片付けをしなかった子はほかのメンバーからひんしゅくを買うでしょう。言動の当然の結果を体験させます。

《食べ物の好き嫌いについて》

好き嫌いに合わせて子どものための特別な料理はしないようにします。とは言え、誰にも食べられないものや苦手なものはあります。それを無理やり食べさせたり、食事のたびにもめたりするのもまったく意味がありません。子どもが興味をもって食べられるような親の努力が必要です。メニューを一緒に考えたり、楽しく食べられる工夫をしましょう。

私の母は、春から夏にかけて、突然「今日のご飯は庭で！」と庭にござを敷いて食事を始めました。そんな演出に、時には嫌いなものも食べてみようという気になったものです。

37 親自身が枠組みにそって生きることが大切

これまで、はっきりとした枠組みをもって子育てをしてこなかったと思われた方は、今がスタートです。親が一方的に決めずに、どんな枠組みにそってやっていくのかをよく子どもに話してください。

たとえば、こんなふうに言うのもいいでしょう。

「君が朝一人で起きられないのは、お父さんやお母さんが、君にできるということを知らずにまかせてこなかった結果だと思う。君をできる人として信じなかったのは、大変申し訳なかった。これからは、一人でできるように努力してほしいし、私たちもそのように援助したい」

このように、新たに採用したい枠組みに関して、一つ一つそのつど話していくことが大切です。そして、枠組みを機能させるために、何をルールにするかも子どもが納得するよう話し合ってください。親はルールの番人になるのではなく、子どもと同じくルールにしたがって生きる人と位置づけます。

親も含めて、ルールを破った人はその当然の結果を体験します。親によって罰せられるのではなく、ルールを破った自分の行為によって自然に起こってくることを体験するだけです。

ルールは親が子どもを思いどおりに動かすための方便ではなく、家族を束ねるための枠組みです。ですから、親といえどもルールを破ることはできないのです。いったん決めたら、親であろうとそのルールにしたがって生活することが大切です。

こんな相談を受けることがよくあります。

待つことを教えようと、子どもがおもちゃを欲しがったときに「誕生日まで待とうね」と話していたのに、「そんなものぐらい買ってあげなさいよ」と祖母がさっさと買い与え、それ以降「誕生日まで待とうね」がきかなくなってしまったと言うのです。親がつくっている枠組みを他者によって壊されてしまうケースです。

まず、両親が子どもを愛し、はっきりとした枠組みを示していれば、子どもが他者によって大きな影響を受けることはありません。

子どもに対し、もっとも大きな影響力をもっているのは親です。祖父母に甘えて欲しい物を買ってもらうことがあっても、それで親の枠組みがきかなくなるという心配はありません。もしあれば、それは祖父母のせいではなく、親の価値観がはっきりと伝わっていないためです。

そして祖父母にも、親が取り組んでいることを理解してもらう機会をつくりましょう。祖父母も、孫を愛することが、イコール物を与えることではないと学ばなければなりません。

孫は、祖父母からの特別な無条件の愛を望んでいます。過剰な期待や干渉や甘やかし、たくさんのプレゼントを望んではいません。おもちゃはすぐに使わなくなります。でも、おじいちゃんやおばあちゃんにかわいがられた思い出は、いつまでも孫の中に生き続けるのです。

38 子どもを愛しすぎないで

子どもが自らの言動の当然の結果を体験することを、「かわいそうだ」と思う人がいます。子どもが困っているときに、助け舟を出さないで見ていることができないのと、ただ見ていることに罪悪感をもってしまうのです。

このような親は、子どもを愛しすぎているのです。子どもを愛しすぎる親は、多くの場合、子どもの生活に過剰な干渉をします。時には、生活に対する干渉にとどまらず、子どもの人格の中にまで侵入し、子どもを思いどおりに動かそうとします。

干渉に対してはっきりと「ノー」を言える子どもの場合は、子どもへの被害は少なくてすみます。親の干渉に屈しない強い子どもは、反抗することで親の侵入を食い止め、自分の人格を守り、成長させようとします。そんな子どもをもつ親は幸せです。親自身の無知で、子どもをダメにすることがないからです。

反対に、反抗する力の弱い「いい子」は、親の愛情によって人生を支配され、長い間その傷を抱えて生きることになります。

最近、私と同年輩の女性Nさんの相談を受けました。彼女の悩みは母親との関係でした。それが仕事上の人間関係にも影響しているのではないかと援助を求めてきたのです。

Nさんの母親は八十歳を超える年齢です。残りの人生もそう長くはありません。安定した快適な生活と温かい人間関係の中で余生を過ごさせたい、とNさんは願っています。近いうちに彼女を引きとりたいと家も建てました。

ところが、ときどき訪ねてくる母親の履物を玄関に認めたとたん、胸が苦しくなると言うのです。母親の滞在中はなるべく彼女に会わないように出かけたりするそうで、そんな自分がつらいと言います。

母親は典型的な愛しすぎる親でした。過剰な心配をし、その心配を娘に押しつけてきました。Nさんは若いころから母親を避けて生きてきたのですが、母親が年をとるにつれて避けてもいられなくなってきたのです。母親としてみれば、親としての心配は当然のことで、それが娘を傷つけていることに気づいてはいません。

長年傷ついてきたNさんは、自分の子どもが成人するような年齢になっても、母親のことを考えるだけで体中が反応してしまうのです。母親の姿や声、履物さえもが、Nさんにとっては母親の過剰な干渉への嫌悪感のスイッチとなり、スイッチが入るとたちまちカッとなってしまいます。

社会的にもそれなりの成功を収める女性が、これほどまでに母親からの影響を受けている事実に私は愕然《がくぜん》としました。しかもそれが、母親との関係だけでなく、仕事などの人間関係にも影響しているのではないかとNさんは考えていたのです。

カウンセリングによって母親に対する嫌悪感を減らすことに成功したNさんは、今、楽に、素直に母親と接している自分を楽しみ始めています。五十年を経て、やっと母親の支配から解放され始めたのです。

もし、親のほうにもう少しの気づきがあれば、もっと早く、彼女たちはお互い素直に愛し合えたのではないでしょうか。

39 ダメなことは言えば言うほどダメになる

はっきりした枠組みを示す中で、同時に、困った状況をどう解決して、生きやすい生活習慣を身につけさせるかをさらに進めて考えましょう。

こんな親の嘆きをよく聞きます。

「ゲームに夢中で何時間でもやっています。気がつくと言うのですが、聞きません。あまり言うと今度は隠れてやります」

「ちっとも部屋を片付けようとしません。足の踏み場もないほどの散らかりようですが、言えば言うほどひどくなるようです」

「挨拶だけはきちんとしようと言うのですが、言っても言っても子どもはやろうとはしません」

ワークショップや講演でよく話題になることです。親は子どもによく言います。「何度言えばわかるの」「言ったでしょ！」。

ではここで実験です。やってみましょう。

目を閉じて、あなたの子どもになってみてください。今、あなたはあなたの子どもです。子どもであるあなたの目の前に、親のあなたがいます。こちらを向いて、子どものあなたに小言を言っています。その顔を見てみましょう。想像してください。あなたがよく言う小言を思い出して、それを今、目の前の子どもであるあなたに対して言っている姿を想像してください。その声を聞いてください。はい、目を開けて。さて、何を感じましたか。子どものあなたは、親に言われたことをやる気になったでしょうか。……なりませんね。反対に余計やる気をなくしているかもしれません。

もっと言われたらどうでしょう。くり返し言われたらどうでしょう。結果は大きく三とおり考えられます。

①自分の気持ちにふたをし、親に気に入られることをやる

この選択には、子どもにとって大きな問題があります、この道を選んだ子は自分自身を見失います。

育つ過程で人は「自分」を発見していきます。ところが、親に気に入られることを選んだ子は、親の気に入る子どもにはなれますが、それと引きかえに自分が誰であるかを発見することを犠牲にしてしまいます。

②うるさい親に背を向けて親の言葉を聞き流す

これでは「言っても言っても」効果が上がらないはずです。こうなると、親子の間での充実したコミュニケーションは望めません。

③親の言うことの反対のことをして反発を表す

こうなると親が言えば言うほど、ダメなことをますます強化することになります。余計ダメさが増すだけです。

40 子どもの言動を強化する魔法のメッセージ

ダメなこと、やってほしくないことを何度言っても効果がないという体験は、多くの親にあると思います。前の項で述べたように、言えば言うほどダメなことを強化してしまうのです。では、どうしたら、やってほしいことをやってくれるようになるのでしょう。

ひとつには、第2章でお話しした、本人が自分の言動の当然の結果を体験するやり方（七六ページ参照）があります。これは、日常の中で自然に生活にとけこむように取り入れられます。

そしてもうひとつ、一瞬にして結果を出すやり方があります。まず、成功したいくつかの例をあげてみましょう。

《バスマット事件》

娘が小学校の低学年のころだったと思います。我が家では、お風呂に入った人は次の人のために、バスマットを所定の場所にかけるようにしていました。背が高くなった娘にも同じようにするよう話していたのですが、娘はマットをかけません。

ある日、腹を立てた私は娘に小言を言いました。すると彼女は「お母さんは私が何かをちゃんとやったときは何も言わないのに、やらないときだけ言うね」と生意気な口をきくのです。余計に腹を立てた私は「何言ってるの」とやり返し、その日は終わりました。

翌日、私が娘のあとでお風呂に行くと、バスマットがきちんとかかっています。「これか！」と思い、娘を呼んで「バスマットきちんとかかっていたよ。ありがとう。とても気持ちいいわ」と目を見てきちんと伝えました。

その日から十年以上たった今も、バスマットのかけ忘れは一度もありません。

《健太君のシャツ》

健太君のお母さんは、いつも彼のシャツが気になっていました。お母さんは健太君にシャツをきちっとズボンの中にたくしこんでほしかったのです。でも健太君はそんなことお構いなし。思いっきり遊んでいると、いつのまにかシャツはズボンからはみ出しています。

お母さんはいつも言っていました。「健太、シャツ。ちゃんとシャツをズボンの中に入れてよ」。でも、言っても言っても健太君は聞きません。

講演でこの話を聞いたお母さんは「そうか」とさっそく試してみたのです。まず、健太君にシャツのことをうるさく言うのをやめました。そしてひたすら待ちました。シャツがズボンの中に収まる日を。

ついにその日が来たのです。学童保育に迎えに行くと、ズボンにシャツをたくしこんだ健太君が待っていました。「これだ」と、お母さんは「健太、すてき。そうやってシャツをきちんとズボンの中に入れてる健太はすてき。ママはうれしい」と伝えたそうです。

「あれ以来、健太のシャツはきっちりズボンの中です」とうれしいメールが届きました。

《お母さんのいるところが「ただいま」の場》

学校からの帰りが遅くなると、娘はときどき迎えにきてほしいと電話をかけてきます。田んぼ道を車で走ると、十分ほどで学校です。電気の消えた校舎の前で娘は待っています。娘は「ありがとう」と言って車に乗りこみ、その日の出来事を話し始めます。

あるとき、やはり迎えに行くと、娘は「ただいま」と言って車に乗りこんできました。私は妙に感動しました。子どもにとって親のいる場が「ただいま」なんだ。子どもが帰ってくるのは家ではなく、親のいるところなんだ。だから車であっても「ただいま」なんだ。

「今『ただいま』って言ったよね。あなたにとってお母さんがいるところが『ただいま』なんだね。なんだかうれしいね」

そう言葉にして伝えると、「ほんとだね」と娘。それ以来、娘は必ず「ただいま」と車に乗りこんできます。そのたびに、私はこの子の親なんだと喜びを感じます。

《お風呂の髪の毛》

娘のあとにお風呂《ふろ》に入ると、髪の毛が浮いています。近視の彼女は、それに気づかずにお風呂から上がってしまいます。

ある日あまりに髪が目についたので、娘を呼んで、「こんなに髪が浮いているよ」と見せました。すると娘は「あ、ほんとだ」と、あとの人のためにきれいにしてくれました。そこで「私はこういうときのあなたがとてもいいなと思うの、いやな顔もせずに、素直にやってくれるでしょう。うれしいわ」と伝えました。

娘は確実にそれまで以上に、髪の毛に気をつけるようになりました。

《意地悪なお兄ちゃんの変身》

そのお母さんは意地悪な長男に悩んでいました。四歳の長男は、妹が生まれ、お母さんが妹の世話に忙しくしているのが気に入りません。

最近お母さんは、彼がもうすぐ一歳になる妹をつついたり、引っ張ったりと、ちょっとした暴力をふるうのが気になっていました。「やめなさい」ときつく言っても、やさしく「やめてね」と言っても聞きません。頭にきて、一度きつく叱ってしまったと言います。

そこでどうするか話し合いました。いつもお風呂は三人で入るそうです。先にお兄ちゃんが上がってパジャマを着ます。次にお母さんが妹を出します。それからお母さんが上がるまでの一〜二分がお兄ちゃんの活躍の場。妹の体をふくのがお兄ちゃんの仕事です。

その日、お兄ちゃんがお風呂から上がるとき、お母さんは言いました。「つかまり立ちが始まったから危ないけど、あなたが見ていてくれるから、お母さん助かるわ」。

そして妹を上げ、ちょっとあとにお母さんが上がりました。お兄ちゃんは妹の体をふきながら、つかまり立ちしている妹を支えています。お母さんは身じたくを整えるとすぐにお兄ちゃんを膝に抱き、目を見て、「いつも妹の面倒をみてくれてありがとう。お母さんはあなたにとても助けられているの。うれしいわ」と伝えました。

三日後「大成功」のメールが届きました。「長男はとても安定して、妹にも親切です」。

41 幸せ気分でするしつけ

前項でお話しした例はどれも、たった一回の感謝や共感の言葉で、望ましい行動を強化できた例です。

何が起こったかおわかりになりましたか？　親が望む状況をはっきりと決めて、その状況が起こったときに、プラスのメッセージで子どもの言動を強化したのです。

これまで、たくさんの親たちがこの方法を試してきました。この強化法の特長は、

・それほどの労力がいらない
・結果が出やすい
・うまくいかなくてもまったく問題が残らない

・親も子どもも幸せ気分でしつけができるということ。積極的に使ってみることをおすすめします。やり方をお伝えしましょう。

①親が望む子どもの具体的な言動がどれかを特定する

ただし、その言動は子どもを幸せに導いてくれるものでなくてはなりません。親にとって便利であるとか、親の思いどおりに子どもを動かすための強化はうまくいきません。それは、ほめて子どもを支配する行為です。

ここでやりたいのは、子どもにとってよい言動を具体的に子どもに教えることです。

②子どもがその言動をするのをひたすら待つ

観察しながら待っていると、その瞬間はやってきます。その瞬間を見逃さないために①の特定を正確にしましょう。

③その場面でプラスのメッセージを視線を合わせて伝える

子どもの言動の何がうれしいかを具体的に伝えます。親が心からそう思っていると伝えることが大切です。

このとき照れが邪魔して、うまく伝えられないと思うかもしれません。子どもが小さいうちに照れを克服しておきましょう。子どもが大きくなるともっと難しくなります。照れずに、思ったとおりの喜びや感謝を「私メッセージ」で伝えます。「ありがとう。うれしい」と、私がどう感じているかを伝えるのが「私メッセージ」です（二〇五ページ参照）。

親が何に感謝しているか、何をうれしいと思っているかがはっきりと伝わることが大切です。子どもの心に喜びの種をまくつもりでやさしく伝えましょう。印象が強ければ強いほど、一度で習慣にすることが可能です。一粒の種が、子どもの心の中で大きく育つのです。

第４章

心を結ぶ聴き方・伝え方

あふれる思いがあっても、伝える技術がなくては子どもに伝わりません。
親がコミュニケーション上手になるとき、子どももそれを学びます。
心を結ぶ聴き方・伝え方――それがハートフルコミュニケーションです。

42 子どもの話を聴くことはサポートの基本

怒りの自動スイッチを切って、子どもに対する指示・命令・小言を言わなくなったら、次にするのは子どもの話を聴くことです。

子どもの日常にはいろいろなことが起こっています。うれしかったことから、悲しかった、つらかったこと、ちょっとした心のもやもやまで、いろいろな体験と思いを整理できないまま、すべてを抱えて家へ帰ってきます。帰ってきて、「あのね、今日○○ちゃんが～」と話すことで、自分の気持ちを整理したり、確認したり、うれしさを再体験したりしているのです。

心の中に何かもやもやがあるとき、話すことには浄化作用があります。誰かに聴いてもらうと、問題が解決するわけでなくても、何となく気分が軽くなる経験は誰にもあると思います。

特に子どもは、まだ自分の気持ちを整理することがうまくありません。ですから親には、聴き上手になって、子どもの気持ちを包みこむことを学んでいただきたいものです。

子どもの話を聴くことの利点をあげてみましょう。

①子どもの情報を手に入れることができる

保育園や幼稚園、小学校へ行っている子どもが、日中どんな生活をしているのかを親は知りません。子育てにおいて重要なことはまず、自分の子どもがどんな子かを知ることです。

親の知らないところでどんな生活をしているのか、誰と遊んでいるのか、どんなことをして遊んでいるのか、何が好きか、何に困っているか、それらの情報を手に入れる一番いい方法は子どもの話に耳を傾けることです。

②子どもの存在を肯定する行為である

子どもの話を聴きながら、親は子どもの情報を得ているのですが、実は聴くことにはもっと大きな効果があります。聴くことは、子どもの存在を肯定する行為でもあるのです。

外から帰って「あのね、ぼく～」と話し始めると、親が熱心に耳を傾けてくれる。これほど子どもにとって自分を肯定される体験はありません。聴くことは子どもにとってとても大切なことである、とよく認識したいものです。

③子どもとのいい関係を維持できる

自分の働きかけに親が反応してくれたとき、子どもは親に対して好意を抱きます。親から受け入れられている安心感から、積極的に親とよりよい関係を保とうとします。そんなときは、子どもも親の気持ちを理解しようとしてくれます。親と子の関係が安定しているとき、子育ては楽しく充実したものとなるのです。

このように、聴くことは一石三鳥です。日常生活で子どもをサポートするうえで、非常に重要な要素です。

さて、日ごろのご自身を振り返ってみてください。あなたはどのくらい子どもの話を聴いているでしょう。

43 人間はそもそも人の話なんて聴いていない

まず、私たちにとって、人の話を聴くことは大変難しいことであるとお伝えしておきましょう。ほとんど聴いていないと言ってても言いすぎではありません。それは、聴いている私が自分の考えをもっているからです。

私たち人間は、一人一人独特な価値観やものの見方、考え方をもっています。よくたとえにされるのがメガネです。私たち人間はそれぞれ独特なメガネをかけていて、そのメガネを通して相手を見ています。私が見ている子どもは、本当の子どもの姿ではなく、私のメガネを通して見た子どもの姿なのです。

「聴くこと」にも同じことが言えます。耳にはメガネならぬ翻訳機をつけ、相手の言ったことを自分の都合のいいように翻訳して聴いています。

ですから、私たちが聴いている子どもは本当の子どもではなく、私たちが勝手に思いこんでいる子どもである場合が多いのです。その勝手な思いこみを、私たちは子どもに押しつけてしまうことが多いのです。

私にも、娘の話を聴けていないと痛感した体験があります。

私立中学に入学した当初、娘は新しい環境に激しい不適応を起こしていました。日に日に食が細くなり、やせていく娘と接するのは大変つらいことでした。娘は学校から帰ると、その日あったつらかったこと、いやだったことを話します。娘が傷ついている姿を見るのは、親にとっては身を切られる思いがするものです。毎日じっと耐えて、そんな娘に付き合いました。

「つらいのは私じゃなくて、この子なんだから」

ところがある日、そんな私にも限界がきました。娘の傷が自分の痛みとなり、私はその痛みから解放されたかったのです。娘の言葉をさえぎって、私は説教を始めてしまいました。

「新しい環境に慣れるには時間がかかるものよ。あなたももう少し協調性を発揮して、みんなを理解する努力をしてみたら？」

そのときの娘の表情は今でも忘れられません。彼女の目は見開かれ、大粒の涙がこぼれだしました。そして彼女は叫びました。

「お母さん！　お母さんは聴いてくれればいいの！」

そうです。問題を抱えているのは娘です。娘は私に問題を解決してほしいと思ってはいません。ヘルプを求めてはいないのです。彼女が求めたのはサポートです。彼女のそばにいて、その痛みに耳を傾けることだったのです。

私たちがいかに聴いていないかをよく認識していただくために、私は講演やワークショップで必ず「きき耳チェック」という体験実習を行います。よく熱心に聴くことを「きき耳を立てる」と言いますが、聴けていない耳を熱心に立てても、聴けていないことに変わりはありません。きき耳を立てれば立てるほど、相手の心は聴こえてこないのです。

そこで私は、自分の価値観に邪魔されて、相手のことをよく聴けていない私たちの耳を「きき耳」と名づけました。

ここでみなさんにも、ご自分の「きき耳」を体験していただきましょう。まず、ペンとメモ用紙をご用意ください。この実習では、どこの家庭にもありがちな状況を設定します。この状況に身をおいてみてください。さあ始めましょう。

44 あなたの「きき耳」チェック

あなたの七歳になる子どもが「ピアノを習いたい」と言いだしました。その瞬間あなたの脳裏をよぎったのは、これまで子どもがやりたいと言ってやらせて、うまくいかなかった習い事の数々です。「スイミングは三カ月だった……」。またか、と思いつつそうも言えないので、「そうね、そのうちにね」と言ってごまかしました。

ところが、半年たっても子どもは忘れません。「ねー、ピアノはいつから？」とうるさく催促します。そこで相談の結果、ピアノを習わせることにしました。ローンを組んでピアノも購入しました。子どもはピアノ教室に通い始めました。一回目のレッスンから、子どもは大変幸せそうに帰ってきました。それからというもの、いつもごろごろしていた子が、暇さえあればピアノを弾いています。

よほど好きなんだと、親としても満足を覚えます。二回目のレッスンではすでに簡単な曲を弾けるようになり、ますます楽しみな日々です。

そして、三回目のレッスンから帰るなり、子どもはこう言いました。

「ピアノやめる。もう行かない」

①この瞬間、あなたは子どもに何と言うでしょうか？　メモ用紙とペンをとって、そのセリフを書いてください。
実際、あなたにこれと同じことが起こったら、あなたは子どもを前に何て言うでしょう。

「何言ってるの！　やりたいって言ったのはあなたよ」

「どうしたの？　何があったの？」

正直に書いてください。

②次に、自分を子どもの立場においてください。「ピアノやめる。もう行かない」と言ったあなたに、目の前で親が何かを言っている場面を想像してくださ

い。親の言葉は、①であなたが書いたセリフです。

子どものあなたに対して、親がそのセリフを言ったらあなたはどう感じるでしょう。子どもの気持ちをメモします。
③最初に戻って親の気持ちを確認しましょう。親であるあなたはどこを目指して、子どもにセリフを言いましたか？　こらしめてやろうと思いましたか？　いいえ、あんなに好きなピアノです、できるものなら続けさせてやりたいと思い、言葉をかけました。
それでは②の子どもの気持ちはどうでしょう。親が最初に目指したとおり、「やっぱり好きなピアノを続けよう」という方向へ気持ちは動きましたか？

これまで何千人という人たちと、この「きき耳チェック」をやってきました。

その結果は、ほとんどの子どもの気持ちが「ピアノはやめる」という方向に向いてしまっているのです。親が「何とかして続けさせてやりたい」という思いで伝えた言葉によって、子どもが向かうのは「ピアノやめる」の方向です。

このすれ違いは何でしょう。

親が自分の「きき耳」で聴いて、その反応で出た言葉が、子どもを反対のほうに向かわせているのです。親のきき耳は「何とかして続けさせてやりたい」という思いです。皮肉にも、その親心が子どもをピアノから遠ざけているのです。

45 脅迫・非難・説教？　あなたのセリフはどのタイプ？

ここで、「きき耳チェック」でよく出る親のセリフと子どもの反応を見てみましょう。次ページに表にしました。

あなたのきき耳は、あなたにどんなセリフを言わせましたか？　あなたのセリフはどのタイプに分類されるでしょう？　同時に、子どもがどう感じるかも想像してください。ほとんど何を言っても、子どもの反応は否定的です。それは、親のセリフが、「何とかしたい」「何とかしてやりたい」という親のきき耳で聴いた反応だからです。

では、子どもから肯定的な反応を引き出すにはどうすればいいのでしょう。きき耳をはずすことはできません。それは私たちの一部だからです。でも、きき耳を避けて子どもの話を聴くことならできます。これこそが「聴く技術」です。

タイプ	親のセリフ	子どもの反応
質問	「どうしたの？　なぜ？」	「なぜって、えーっと……（言い訳）」
脅迫	「やりたいって言ったのはあなたよ」「ピアノどうするの」	「もういいよ、二度と言わないから」
非難	「え！　何言ってるの」	「（言わなきゃよかった……）」
否定	「いつもあなたはそうなのよ」「だから言ったでしょ」	「……（黙って反発）」
分析	「何かあったのね。先生が何か言ったの？」	「そうじゃなくて……（わかってないな）」
ごまかし	「大丈夫よ。もう少し続けてごらん。やめるのはいつでもできるから」	「……（大丈夫じゃないよ。今、やめたいの。言ってもむだだ）」
同情	「かわいそうに。何かあったのね」	「（え……何かって）」
説教	「何にも続かないようじゃこれからの人生で困るぞ。習い事というのは……」	「……（結局聴いてくれないんだ）」
肯定	「いいよ、やめても」	「（どうでもいいのかな）」
押しつけ	「だめよ。今回は続けなさい」	「……！」
詰問	「どうしたの！」	「……（何も言えない）」

子どもをよりよくサポートするために聴く技術を学び、子どもとのすれ違いをなくしましょう。それは親にとっても心安らぐことであり、何より子どもの未来が変わります。

46
〈聴く技術♥その1〉黙る

親はよくしゃべります。きき耳チェックでもあったように「ピアノやめる。もう行かない」と言われて、黙ってひと息入れられる親がどのくらいいるでしょうか。

以前、あるテレビ番組で面白い光景を見ました。高校生ぐらいの人たちと、かなり年上のタレントたちが、生き方に関して議論しています。

一人の年配のタレントが「お前たちはそこんとこ、どう考えるんだよ」と青年たちの発言をうながしました。一人の青年が「えっと、ぼくはですね、えっと～」と何か言い始めると、「だいたい、お前たちの年齢はさ～」と年配者が見解の披露に入ります。また、年配者がたずねます。「それでどうなの?」。青年が答えようとします。「ええ、ですから～」。するとまた年配者が言います。「まあ、

「でも無理もないよな〜」。

その年配のタレントは、相手の話をうながすようなことは言いますが、結局自分が話すことにしか興味はないようです。そして会話の最後に言うのです。

「いや今日はよく話し合えてよかった」

話し合ったのではなく、年配のタレントが一方的に話しただけです。

なぜ私たち親（大人）はこんなに話したがるのでしょう。なぜ黙って、子どもたちの言葉に耳を傾けられないのでしょう。

それは私たちが、子どもたちより何かをよく知っていると思いこんでいるからです。だから、知らない子どもに教えなければならないと思っているのです。

確かに私たち親は、子どもたちより長く生きています。自分の生き方については、よく知っていると言えるでしょう。でも、子どもがこれから生きる人生についてどのくらい知っているのでしょう。子ども自身以上に知っているということはありえません。

子どもは自分なりの答えをもっています。親の仕事は、その答えが本当に子どもにとって最適な答えなのかどうかを一緒に考えることです。そして、子どもの答えを高めるサポートをすることです。子どもに親の考えを押しつけることではありません。

子どもに彼らの人生を教えるというのは大変な間違いです。子どもが自分の生き方を見つけられるようサポートすること、それが親の仕事なのです。

そのために、一一五ページでも述べたように、まず自動的な習慣で子どもが話すべきときをさえぎって自分が話していることに気づきましょう。そして、その習慣をリセットします。意識して自動スイッチをオフにします。

具体的には次の点に注意してみてください。

①子どもに対する指示・命令・小言をやめる
②子どもに質問したら、答えが返ってくるまで待つ
③思わず何か言いたくなるようなことを子どもが言ったら、黙る

沈黙は私たちに考える時間を与えてくれます。きき耳に振り回されずに、子どもの本心を聴きとる余裕を手に入れることができます。

何より親が黙っていれば、子どもに話すチャンスがめぐってきます。話したいことがあるとき、親が邪魔さえしなければ、子どもは口を開いてくれるのです。

47 〈聴く技術♥その2〉言葉の反射で子どもの心を開く

「ピアノやめる。もう行かない」と子どもが言ったとき、親がすることはまず黙ることです。黙っている間に、内心で「理解したい」と念じます。

きき耳で聴いた親のセリフに対して、子どもはほとんど否定的反応を示すと述べました。それは親が「何とかしてやりたい」と思ったからでした。

この場合、一番に親がすべきは、何とかすることではなく、子どもが言っていることの背景を知ることです。なぜそんなことを言いだしたのかを理解することなのです。そのために、黙って「理解したい」と念じます。そして、子どもの言葉をくり返します。

子ども　「ピアノやめる。もう行かない」

親（二、三秒の沈黙）「ピアノやめたいの？　もう行かない？」

とやさしくくり返します。

実際、きき耳チェックの体験実習のときには、自分のきき耳に気づいたあと、「理解するために、くり返す」ことをやってみます。すると、きき耳を作動したときのような子どもの反発や、聴いてもらえないという気持ちはなくなります。かわりに「安心する」「聴いてもらえる」「本当にやめたいのかなと自問を始める」という気持ちが生まれます。

子どもは、親が「理解するために、くり返す」ことで、聴いてもらえたと感じるのです。聴いてもらったとき、人は心を開きます。親を身近に感じて本音を語り始めます。

親は子どもがどうしてそういうことを言いだしたか、本当のことを知りたいのです。ところが、きき耳に反応して「なぜ？　どうして？」「どうしたの？　何かあったの？」と質問すると、子どもは自動的に親を納得させやすい理由（言い訳）を始めます。これは子どもの本音とは異なるかもしれません。

これからは、子どもが思わず「どうして？」とたずねたくなるようなことを言ったら、ぜひ、まず黙って、理解するために子どもの語尾をくり返してください。そうすると、子どもは本音を語れます。

子ども「お母さん、ぼく、学校へ行きたくない」

親（黙る）「学校へ行きたくないんだ」（黙る）

子ども「うん、だってね～」

子ども「お父さん、私、塾やめようと思うんだ」

親（黙る）「塾やめたいんだ」（黙る）

子ども「私ね～」

まず、これで子どもと語り合える場はできます。最初のドアが開かれたのです。

この聴く技術を「反射」と言います。子どもの使った言葉をそのまま反射するのです。

でも、こればかりでは会話は単調です。積極的に子どもの問題解決を手伝うには至りません。次のステップに進みましょう。

48

〈聴く技術♥その3〉子どもの問題を解決する聴き方

とてもいやなことがあったとき、人は大げさに愚痴《ぐち》を言うことがあります。落ち着いてくればたいしたことはないのに、やたら大げさに、「やめる」とか「もう二度と会わない」などと言ったりします。

子どもも同じです。「ピアノやめる。もう行かない」の言葉も、腹を立てた子どもが一時の感情で言っているだけかもしれません。落ち着いて考えられるようになるまで付き合い、解決策を一緒に考えるための聴き方のステップを紹介しましょう。

〈問題解決をサポートする聴き方〉

子ども「ピアノやめる。もう行かない」

親（黙る）「ピアノやめるの？　もう行かない？」（黙る）
子ども「うん。だって、美香ちゃんが私は下手だって言うの」
親「そうなの。だから、悲しくなっちゃったのね」①
子ども「ひどいよ。だから、私もうピアノやめる」
親「悔しかったのね。どうしたらいいか、お母さんと一緒に考えようか」②
子ども「考えるって？　私はもういやだから」
親「ピアノも嫌いになったの？」
子ども「……そうじゃない。ピアノが嫌いなわけじゃない」
親「そう、あなたはどうしたいの？」③
子ども「美香ちゃんが意地悪言わなきゃ、レッスンも楽しいし、ピアノは続けたい」
親「そう、どうしたらピアノを続けられるかしら？」④
子ども「うーん、ほかのピアノ教室へ行く」
親「そうね。それもできるわね。ほかにはどうかしら？」

子ども「美香ちゃんがほかの教室へ行けばいいのよ」

親「そうね。そうしてくれると助かるわね。ほかには？」

子ども「ほかに？　美香ちゃんの言うことなんか気にしなきゃいいのよね。あの子ね、結構嫌われてるの。意地悪だから」（ちょっと元気になる）

親「あら、そうなの。ほかにはどんなことができるかしら。あなたが好きなピアノを続けるために」

子ども「ほかにはもう思いつかない」

親「そう。いろいろアイディア出たけど、どれをやる？」⑤

子ども「うーん……私、美香ちゃんのこと気にしないことにする」

親「そう。あなたが気にしないでいたら、美香ちゃんどうするかしら？」⑥

子ども「しつこく言ってくるかもしれない」

親「そうしたら、あなたはどうするの？」

子ども「知らん顔してればいいのよ」

親「そう、できそう？」

子ども「うん、やってみる」

親　「そうしたら、美香ちゃんどうするかしらね」

子ども「きっと、最後にはあきらめるんじゃない」

親　「そうね。やってみる？」

子ども「うん、美香ちゃんのことは気にしない！」

親　「それじゃ、お母さんも応援しているから、それでやってみよう。話してくれてありがとう。どんな具合か、また聴かせてね」⑦

子ども「うん、わかった」

問題を解決する聴き方の手順をまとめてみましょう。

①反射や感情の理解をしながら子どもの気持ちを理解し、子ども自身に自分の気持ちを認識させる。

「だから腹を立てているのね」

「とってもつらかったみたいね」

②一緒に考えることを提案し、話し合いをしたいかどうかを確認する。

「お母さんと一緒に考えてみない？」

「どうやったらいいか、お父さんと作戦会議をしようか」
③子どもがどうしたいかを確認し、話し合いの方向性をハッキリさせる。
「あなたは本当はどうしたいの？」

「どうなったら一番いいと思う？」
④問題解決の方法をたずねる。このとき、できるかできないかは別としていろいろな解決策（馬鹿げたものでも）を一緒に考える。どんな解決策であっても否定しない。
「何ができるか考えてみようよ」

「そういう方法もあるね。ほかにはどうだろう」
⑤いくつかの解決方法の中から、子どもにひとつを選ばせる。
「この中で一番いい方法はどれかしら」
⑥子どもが選んだ方法を実行したら、何が起こる可能性があるかを話し合い、誰にとってもうまくいく解決策であることを確認する。
「それをやったら、どうなると思う？」
⑦実行の気持ちを確認し、子どもを力づけ、親が見守っていることを伝える。
「やってみてどんな具合か、お母さんに聴かせてね」

49 〈聴く技術♥その4〉感情の反射で気持ちをくみとる

前項の会話例で、親は「そうなの。だから、悲しくなっちゃったのね」と子どもの感情を反射しています。

これは、もうひとつの反射の技法です。ここでは、お母さんの観察力がものをいいます。「ピアノやめる。もう行かない」と言いながら、子どもはどんな様子でしょう。なんだか悲しそうだな、と感じとれれば、「悲しくなっちゃったのね」と子どもの気持ちをくみとることができます。

人はいつも自分の気持ちに気づいているわけではありません。私たち大人でも、無意識のうちに、なんだかもやもやする、心がザラザラするというようなことを感じることがあります。わけのわからない状態に陥ることがあります。

そんなとき、それを感じとってくれた誰かが、適切な言葉で気持ちを反射してくれれば、自分の感情をより理解することができます。同時に、自分の気持ちをくみとってもらうことで、理解されていると感じることができます。それによって、自分の気持ちとおかれている状況を冷静に見ることができるようになるのです。

「悲しくなっちゃった」ことをくみとってもらった子どもは、本当にピアノをやめたいのかを考える余裕ができました。そして、ピアノがやめたいわけではないことに気づいたのです。

私はこのやり方で、娘とのコミュニケーションのたくさんの難関を突破してきました。学校へ行きたくないと言うとき、友達との葛藤を抱えているとき、突然の進路変更を言いだしたとき、感情的な問題を抱えているとき。そんなとき、私は娘の言葉を反射し、娘の感情を反射します。あとはひたすら、問題解決をサポートする聴き方の手順にそって話を聴きます。

子どもの問題解決に親の意見はいりません。子どもに必要なのは聴いてくれる人です。

「お父さんはどう思う？」「お母さんはどう思う？」と意見を求められないかぎ

り、親の意見は一方的な押しつけになってしまう可能性が高いのです。

子ども自身に、自分の問題を解決する力があることを思い出してください。このときこそが、親がコーチとしての役割を認識するときです。

あなたは「子どもができる」ことを知っていますか？

「子ども自身はもっとよくなりたいと思っている」ことを知っていますか？

あとは「子どもが望んでいることが起きるまで待ち、必要なサポートは何でもしようとする柔軟性がある」ことが親に求められているのです（四〇ページ参照）。

コーチが選手のかわりに走ることがないのと同じように、親がかわりに子どもの選択をしたり、子どもの問題を解決することはできません。できるのはそのサポートです。

50 子どもの感情や感覚をそのまま受け入れよう

前の項で、感情の理解とは、子どもが感じているであろうことを感じとり、それを言葉にして反射することと述べました。

ところが、時として親は、子どもの感情を受け入れるのが難しいと感じます。それは、親自身が自分の感情について混乱を起こしているからではないでしょうか。

こんな情景を目にしたことはありませんか。転んで足をすりむいた子どもが泣いています。そのそばで親が「痛くない、痛くない。ほら、強い子は泣かないよ」と、子どもの痛みや不安、驚きを否定しています。

何気ない情景ですが、ここには大変な間違いがあります。強かろうが何であろうが、痛いものは痛いのです。痛みを感じている子どもの痛みを受けとらず、痛みを感じていない親が「痛くない」と言っても何の説得力もありません。

友達とけんかをして落ちこんで帰ってきた子どもに「そんなことぐらいでいつまでもメソメソしないで、ほら元気を出して」と言ったらどうでしょう。子どもは親にもわかってもらえない寂しさで、もっと元気をなくしてしまいます。

こんな状況で子どもに元気を求めるのは、彼の感じていることを否定することになるのです。親はただ励ましているだけのつもりでも。

どうして親はそんなことをしてしまうのでしょう。それは親が、子どもの否定的感情（悲しみ、苦しみ、つらさ、悔しさ）や痛みを受け入れるのがとてもつらいからです。親は子どもにいつも幸せでいてほしいと願っています。ですから、子どもの否定的感情や痛みを認めるのがいやなのです。親の安心のために、否定的な感情や痛みを感じてほしくないのです。

これは、親が子どもの感情や感覚のモニターに失敗している状態と言えます。親が子どもの感情や感覚をモニターする行為は、子どもに自分の感情や感覚を理解させるうえでとても重要です。

乳児は、自分の中に起こっている感情や感覚にどんな名前がついているかは知りません。ただ感じています。

たとえば、朝からおばあちゃんの家へ連れてこられ、夕方になってやっと親が迎えにきてくれたとしましょう。大好きなお父さんとお母さんに会えて、なんだかわくわくして飛び跳ねたくなります。すると親が、そんな子どもの様子をモニターして言います。

「うれしいね、うれしいね」

そこで子どもは学びます。自分が今感じている気持ちが「うれしい」なのだと。

また突然、目の前に犬が飛び出してきました。びっくりして不安になり、泣きながら親を探します。飛んできた親は子どもを抱き上げて言います。

「よしよし、びっくりしたね」

そのとき子どもは、自分のその状態が「びっくり」であったと学ぶのです。

感情や感覚を反射することは、子どもの状態をそのまま受け入れることであると同時に、感性豊かな子どもに育てるうえでとても大切なことです。

子どもはそんなに弱くないと知ってください。痛みや悲しみがそこにはないようなふりをさせるより、その感情や感覚を認め、共に感じ、包みこんであげましょう。

「つらかったのね。でも、よく頑張った」

そう親に言われたとき、子どもは安心して親の腕の中に飛びこんでいけるのです。自分を理解してくれる親の腕の中に。

51 〈聴く技術♥その5〉子どもの話を体で聴く

コミュニケーションには、言語的側面と非言語的側面があります。言語的側面は何を言うかという言葉の内容です。非言語的側面は、その言葉をどう伝えるかという伝え方を指します。

「君のこと大好きだよ」という言葉が意味するものが言語的側面ですが、このセリフを相手から視線を避けて、低く小さな沈んだ声で言ったとしたら、その意味は通じるでしょうか。言葉では好きだと言っていても、本心はそうではないと相手には伝わるでしょう。

コミュニケーションにおいては、言葉で何を言うかよりも、それをどう言うかという非言語的側面のほうが相手にはるかに大きな影響を与えます。聴くときも同じで、相手に対して「私は聴いていますよ」というメッセージを非言語的に伝えたとき、子どもは親にきちんと聴いてもらっていると感じます。

聴いていることを伝える基本的な非言語的コミュニケーションを、いくつかあげてみましょう。

《視線》

忙しかったりすると、顔も向けずに声だけで子どもの話を聴くことがあります。特に重要な内容でもなく、子どもも何かのついでに声をかけたなどというときは、それほど問題はありません。

しかし、子どもの様子から、「聴いてもらいたい」というメッセージを受けとったときは、必ず向き合って、視線を合わせて子どもの話を聴くようにしましょう。

《表情》

視線を含む表情は、相手にもっとも大きな影響を与えるようです。向き合ってすわっていても、表情がかたければ「聴きたくないのかな」と思わせてしまいます。やわらかい表情を心がけてください。

《身ぶり・手ぶり》

腕組みや足組みは警戒や拒絶のシグナルととられがちです。子どもはこのようなシグナルを読みとる天才です。このようなしぐさをすると、子どもは自分が受け入れられていないと感じるのです。

実験をしてみてください。向こうから子どもがやってくるのが見えたら、大きく両腕を開いて笑顔で迎えてみてください。子どもは懐に飛びこんできます。今度は、腕を組んで、怖い顔をして待ってみてください。子どもは少し手前で立ち止まり、けげんな顔で見るでしょう。

《声による表現》

「いいお天気ね」とうれしそうに言うと、お天気のいいことを喜んでいるのが伝わりますが、同じことを沈んだ調子で言うと「日焼けが怖いのかな」などと思います。

声の調子は言葉の意味を大きく変えます。特に、言葉や感情を反射するときは、その言葉の意味に配慮して反射しましょう。「うれしそうね」はうれしそうに、「悲しかったのね」は思いやりをこめて、とその状況にそって言い方を変えます。相手の気持ちにそっていれば自然とそうなるでしょう。

52

親の問題も解決されるべきである

子どもが問題を抱えているときに、どうやってその問題解決を援助するかを学んできました。

次は、子どもは問題だとは感じていないのですが、親にとって問題があるとき、それをどのように子どもに伝え、問題解決をすればいいのか考えていきましょう。

どのような状況があるでしょう。たとえば、来客があって話をしているのに、子どもが騒いでゆっくりできません。子どもは何ら問題を感じてはいません。それどころか来客があってうれしいのです。でも親にとっては問題です。

五時前には帰る約束の子どもが、五時を過ぎても帰ってきません。何かあったのではないかととても心配です。約束を三十分も過ぎて、何もなかったかのようにご機嫌で帰ってきました。子どもにとっては何も問題はありませんが、親にとっては問題です。

高額な電話料金の請求書が送られてきました。ほとんどが子どもの電話代金です。子どもは何も問題を感じてはいません。友達と楽しく会話ができてハッピーです。でも親にとっては問題です。

さて、親にとっても問題は解決されなければなりません。子どもは自分のどのような言動が、人にどのような影響を与え、問題を感じさせているのかを知る必要があります。

相手にマイナスの影響を与えている場合、子どもはその言動をもう一度検討する姿勢を学ばなければなりません。それが人と一緒に生きるということです。この体験をたくさんしてきた子どもは、人に対する配慮を身につけます。

ここで、親がしかたがないとあきらめ、子どもにやりたいようにやらせると、子どもは人と暮らすために自分がどうあるべきかを学ばないまま大きくなります。

こんな状況でよくあるのが、親の自動的な怒りです。

「うるさいな。あっちへ行って遊んでなさい」

「今何時だと思ってるの。約束の時間はとっくに過ぎてるわよ」

「いい加減にしてよ。電話代いくら払っているか知ってるの」

このように言ったことはありませんか。

一一五ページの「怒りの自動スイッチ」の項でもお話ししたように、まず、その自動的に入ってしまうスイッチを切りましょう。怒りや小言として伝えるのではなく、親からの教育的メッセージとして伝えるやり方を次にご紹介します。

まずは、その問題が誰の問題かに気づき、区別することから始めます。

子どもの問題であれば、解決は子どもにまかせます。親にできるのは、子どもが最適な解決策に到達するよう、これまで述べてきたように聴くことです。

親が問題を感じている場合は、親は自分が感じていることを伝えることが大切です。子どもの言動が、親にとってどんなに困ることかを伝えたとき、子どもははじめて自分の言動を変えることができるのです。

53 子どもを責める「あなたメッセージ」

「うるさいな。あっちへ行って遊んでなさい」

「今何時だと思ってるの。約束の時間はとっくに過ぎてるわよ」

「いい加減にしてよ。電話代いくら払っているか知ってるの」

こんなふうに言われたら、あなたはどう感じますか？　これらのセリフは何が問題なのでしょう。

実は、これらのセリフには共通点があります。それはこれらが「あなたメッセージ」であることです。

「（君は）うるさいな。（君は）あっちへ行って遊んでなさい」

「（あなたは）今何時だと思ってるの。約束の時間はとっくに過ぎてるわよ」

「（あなたは）いい加減にしてよ。（あなたは）電話代いくら払っているか知ってるの」

という具合です。

会話の中ではほとんど省略していますが、私たちはこのように「あなたメッセージ」をよく使います。この場合、「あなたメッセージ」は、言われるほうにとっては抗議のメッセージです。ほかにも非難や命令、説教、皮肉などにもよく使われます。

このように自分に対して、やっていること、やっていないこと、やるべきことを「あなたメッセージ」で言われているとき、子どもは責められていると感じます。責められていると感じたとき、子どもは親の言葉を聴き流し、内心反発を感じながら、ひたすら小言が終わるのを待つだけです。

小言の多い親は、子どもに言動を改めさせようとしているつもりで、多大なエネルギーを無駄なことに費やしているのです。その無駄なエネルギーを使って、子どもの中に親に対する反発を育てているのです。

そもそもこのセリフの目的は、親の問題を解決することでした。そのためには、親が受けている影響をよく理解してもらい、子どもの問題となる行動を変えてもらわなければなりません。

子どもに悪気はなくても、それどころか子どもにとってうれしいことでも、その自分の言動が、まわりにマイナスの影響を与えることもあると教えることが重要です。その連続が、子どもにまわりへの配慮を教えます。

ですから、配慮を教えるためには、「あなたメッセージ」で子どもを責めるのではなく、子どもが受けとれるメッセージにする必要があるのです。

54 親の気持ちを伝える「私メッセージ」

「お父さん困る。君が騒いでいるとお客様と静かにお話しできなくて。あと一時間ぐらいで外へお昼に行くから、それまで静かに遊べるかな」

「私、とっても心配していたの。あなたがどこにいるかわからないし、何かあったんじゃないかと思って」

「お母さん、問題を感じているの。毎月これだけの電話代を払うのは我が家の家計にはつらいのよ。電話代を減らす工夫に、あなたも協力してほしいの」

これらは、あなたメッセージから一変して、子どもに親の気持ちを伝えています。

「お父さん困る」「私、とっても心配していたの」「お母さん、問題を感じているの」と「私メッセージ」にすることで、あくまでも「私」のこととして話します。

そうすることで、子どもは相手のことととして冷静に聴くことができます。相手のことととして聴いているときは、別に自分が責められているわけではないので、多少耳が痛いことでも反発するには至りません。

反対に「困っている」「心配した」「問題を抱えている」と言われることで、相手を助けてあげなければと感じてくれる可能性が高くなります。

そしてまた、親は、どのような理由で「困っている」「心配した」「問題を抱えている」のかをきちんと伝えます。

親は、子どもがそのぐらいのこと気づいていて当然だとか、すでに伝えたからわかっているはずなどと思いがちですが、必ずしも子どもは気づいてはいません。もともと子どもにとっては問題ではないのですから、気づいていいはずだというのは乱暴です。

親がお客様とゆっくり話がしたいという気持ちを子どもは知りません。遊びに夢中だった子どもは、親が心配していたなんて予想もしませんでした。電話代が増えると何が問題なのかは、言われないかぎり子どもにはわかりません。親が感じていることのその理由を話して伝えます。

親は子どもにやってほしいことがある。あるいはやめてほしいことがある。つまり子どもの言動を変えたいのです。そのためには、具体的に何をしてほしいのかを伝えます。

そのときに命令したり、するべきだと指示をしたりするのではなく、丁寧に依頼してください。ご機嫌をとったり、へつらうことはしません。やさしい態度で「こうしてください」と依頼するのです。親の気持ちや状態、そしてなぜそうなのかがわかれば、子どもは言動を変えてくれます。それは、親が「私メッセージ」により、自分の気持ちを伝えてくれているからです。

「私メッセージ」は、親が子どもに喜びや感謝を伝えるときも使えます。一五三ページの「子どもの言動を強化する魔法のメッセージ」は、すべて「私メッセージ」です。問題解決のときだけでなく、普段から積極的に自分の気持ちを伝える場面で使ってみてください。きっと子どもは目を輝かせて、親の話に耳を傾けるでしょう。

55 子どものコミュニケーション能力は親次第

日本人は自分を表現するのが下手だといわれます。自己主張が下手で、意識してやり始めると今度は相手の権利を侵してしまい、なかなかうまくいかないようです。

それにくらべ欧米人は、子どものうちからはっきりと自己主張するように教育されます。学校での教育もさることながら、親から学ぶことが一番多いのではないでしょうか。

文化的背景や言語の影響もあります。欧米が自分を表現することをよしとする文化圏であるのに対し、日本ではまだまだひかえめにするのがよいとする傾向が強いようです。目立たず、まわりと一緒でいるのが安全だという考えです。

言語的には、たとえば英語は主語（私・君）を省略することはあまりありませんが、日本語ではその省略はかなりひんぱんです。このため「私メッセージ」を練習しようとすると、私たち日本人は多少ぎこちないものを感じるかもしれません。省略から生み出されるあいまいさが、日本人の謙虚さとして受け入れられてきたからです。

ですが、これからの日本人（私たちの子どもたち）は、英語的明確さと日本語的あいまいさの両方を使い分けることを求められるのではないでしょうか。自己主張の強さと、あえてあいまいにする謙虚さ――ぜひ、子どもにはその使い分けのできる能力を身につけてほしいものです。

さて、親として、あなたが自分の子どもに求めるコミュニケーション能力はどのようなものですか？　人前でも、堂々と自分の意見を言える子に育ってほしいと思ったら、親であるあなたが、子どもに対してそんなコミュニケーションをとることです。子どもに対して堂々と「私は～」と考えを述べることで、子どもはコミュニケーションとはこのようにとるものなのだと学びます。

「私メッセージ」は、親が自分の考えをはっきりと自分の言葉として伝えるチャンスです。親がこのようなコミュニケーションを心がけることで、子どもに対するモデルとなり、子どもも自然に、自分をきちんと伝えるコミュニケーションスタイルを身につけます。

「私メッセージ」で話す習慣は、コミュニケーションに責任をもつ習慣でもあります。

「先生からも言ってやってください」などと、自分で言うべきことを人に依頼したりするのは、自分のコミュニケーションの責任を避けているのです。

面白い話を聞きました。

バスに親子連れが乗ってきました。子どもが友達を見つけ、あっちへ行ったりこっちへ来たりと落ち着きません。腹を立てた母親が言いました。

「じっと座っていなさい。運転手さんが怒るでしょ」

それを聞いた運転手さんが車内放送で言ったそうです。

「私は怒りませんよ、お母さん。だからあなたがちゃんと話してください」

このように、自分のコミュニケーションに責任をとらず、子どもの成長をほかの人の手にゆだねる親から子どもが学ぶのは、同じコミュニケーションスタイルです。

自信をもって「私は～」と自分の考えを伝えましょう。さわやかに自己主張する親の姿を子どもは尊敬します。そして同じようなスタイルを身につけるのです。

第５章

親の幸せは自分でつくる

子どもの幸せの第一歩は、親自身が幸せな人生を生きること。
そして親自身の幸せは、自分自身でつくるものです。

56 あなたは自分が好きですか？

――子どもからの自立

「あなたは自分が好きですか？　自分にそれなりの自信をもっていますか？」

この質問にあなたは何と答えますか。自信をもって「はい」と答えられますか。

何かをやっているときの自分は好きだけど、何かができていないときは嫌いだなど、状況や条件によって変わるものではありません。すべてをひっくるめて、「あなた」という人を「これがいい」と思えるかどうかです。

自己肯定感は、人間が生きていくうえでもっとも重要な感情であると述べました。自己肯定感が強いほど、私たちの日々は輝き、充実した毎日を生きることができるのです。

子どもに自己肯定感を教えるのは親の仕事であると述べましたが、よくこんなことをそっと打ち明けてくれる親がいます。

「子どもにはぜひ自分を好きになってほしいのですが、それを教える私が、自分を好きだと思えないのです。どうしたらいいのでしょう」

実は、子どもに自己肯定感を教えるプロセスがそのまま、親が自分の中にそれを育てるプロセスです。子どもを愛する中で、一緒に自分を愛する気持ちも育ててみてはいかがでしょう。

もし、あなたに充分な自己肯定感がなかったとしたら、それはあなたのせいではありません。あなたの親が愛することを充分教えきれなかったのです。では、それはあなたの親のせいでしょうか。いいえ、親は自分の知っているやり方であなたを育てたのです。それ以上のやり方を知らなかったのは残念ですが、知らなかったことは責められません。

今のあなたには選択があります。一人の気づいた人として、親の影響下にいつまでもいる必要はありません。自分でこれからの自分を選べるのです。

自分を好きになるために次のことを試してみてください。

①自分の好きなところをリストアップする

あるお母さんは本当に自信をなくし、まったく自分を好きになれないと言います。そこで、一晩に五十個、自分の好きなところをリストアップする宿題をやっていただきました。翌日、彼女は「何かが違う」と晴れ晴れした顔を見せてくれました。

②一日十回は声に出して、今日の自分を認める

自分を好きになれない人は、内心でよく自分を批判します。そこで、その批判の声に対抗し、自分を認める言葉を声に出して自分に言います。

「早く、早く、と子どもをせきたてなかった。よくやった」

「自分の気持ちを素直に伝えることができた。すてき」

③自分を好きになる魔法の言葉をつくり、その言葉を自分との約束にする

私自身も魔法の言葉をもっています。自分を好きになるために、二十五年も前に自分でつくった言葉です。ご紹介しましょう。

「私は自分が好きです」

二十五年間使い続けてきました。そして、すっかり自分のものになりつつあります。

57 子どもを自己実現の道具にしないで

——子どもからの自立

「パラサイト・シングル」という言葉が一時よく聞かれました。親の家に住み、親に家事をまかせて、自分の収入は自分で優雅に使う、親に寄生（パラサイト）している独身者という意味のようです。

親にも「パラサイト」と呼べる人たちがいます。子どもをヘルプし、子どもの人生に過剰に干渉し、そうすることで自分の人生を充実させようとするのです。

このような親は、子どもを自分の自己実現の道具として使います。自分にはは たせなかったことを子どもに託し、思いどおりの成果を上げさせることで、結局自分が満足するのです。パラサイト・シングルが経済的に親に寄生するのと同様、パラサイト・ペアレントは夢の実現において子どもに寄生するのです。

しかし、何度も述べてきたとおり、子どもには子どもの人生があります。その人生を生きるよう、子どもは才能を授かってきています。親の仕事は、子どもがいずれその才能を開花させることができるよう、最高の環境を整えてあげること。それが「愛すること」「責任」「人の役に立つ喜び」を教えることです。

同時に親には親の人生があり、親自身は才能を生かして、自分の人生で自己実現を図ることができます。子どもをもつ年齢になった人は、「もう自分には遅いから、せめて子どもに……」と思うのかもしれません。でも、人は何歳になろうと、その人なりのやり方で自分の日々を輝かせることができます。

パラサイト・ペアレントにならないために、できることをいくつかあげてみましょう。

①自分の望むライフスタイルを思い描く

あなたの仕事は？　趣味は？　自分と家族の暮らし方は？　取り組みたいことは？　学びたいことは何でしょう？　自立している人は、そのスタイルの実現に向けて自分なりの努力を忘れません。

②望むライフスタイルを実現するために、子どもが自立できるようサポートする

これまで学んできたことを参考に、自分なりのやり方をできることから始めてみてください。

③子どもの手が離れたらやってみたいことを、具体的にリストアップする

どんなささいなことでもいいのです。思いつくかぎりたくさん書いてください。その中から、今からでも始められることを選んでください。今できないことについては、なぜできないかではなく、どうしたらできるかを考えてください。

どんな小さなことでも、今できることから始めます。今はまだ始められないという人は、そのテーマを細切れにしてみてください。今から始められることが必ずあるはずです。

④語り合える友達をもつ

理解してくれる友達がいないと嘆く人ほど、自分から心を開いて語り合おうとはしません。一歩を踏み出してみてください。

58 子どもは完璧な親を求めてはいない
――子どもからの自立

私がハートフルコミュニケーションをデザインしたのが一九九五年ごろで、全国のPTAから活発に講演依頼を受けるようになったのが、その四年後ぐらいでした。依頼に応じて日本中どこへでも出かけますが、私自身が、ハートフルコミュニケーションで伝えているようなことが常にできているかというと、そうではありません。それどころか、うまくいかないやり方をしてしまうこともしばしばです。

その日は横浜市内の小学校に講演に招かれていました。二時間の講演の中で、子どもの話を聴くという内容に話を進めたとき、私は前日の娘とのコミュニケーションを思い出していました。もっと聴けるはずだった娘とのコミュニケーションを、私は自分の都合で自分から絶っていました。

当時娘は私立中学に入学し、楽しい中学生活を送っているはずでした。ところが彼女が体験していたのは、新しい環境への不適応でした。私は、日に日にやせ衰えていく彼女と向き合い、その苦しい体験を聞かされる毎日だったのです。内心「聞きたくない」と思ったのも一度や二度ではありませんでした。

「こんな弱い子であるはずがない」

そう思ったのです。

「私の知っているこの子は、もっと明るく強い子だった」

そう思うことがよくありました。そんな気持ちから、講演の前日、私は彼女とのコミュニケーションをさりげなく終わりにさせたのです。そうとわからないほどさりげなく。

講演の最中に、そのときの情景が戻ってきました。私はさりげなくやったつもりでしたが、彼女はきっと気づいているでしょう。子どもの話を聴きましょうなどと言っている自分が、娘の話も充分聴いてやれないなんて。講演中、私は自分を責め始めました。

「自分でできていないことを人に伝えるなんて、そんな資格、私にはない」

参加者もＰＴＡ役員も、「目からウロコが落ちた」と大変喜んでくれたのですが、私は重い心を抱えて帰宅しました。

その夜、就寝のしたくを終えた私は、そのままの気持ちで眠ることはできないと気づきました。娘と向き合い、前日から自分に起こったことを全部彼女に話しました。きちんと娘の話を聴けていない自分が、よその親たちに向かって「話を聴きましょう」などという資格はないのではないかということも話しました。

その話をするのはとても勇気のいることでした。娘がどう思うかが怖かったのです。娘から責められるかもしれないとも思いました。

「お母さんは本当は何も聴いてくれてはいない」

そう言われるかもしれないからです。

そんな私の心配をよそに、娘はこう言ったのです。

「お母さんはハートフルコミュニケーションで、世の中に完璧《かんぺき》な子はいないって言ってるじゃない。親だって一緒だよ。完璧な親なんていないし、私は求めていないよ」

私はこのときほど強く「子どもは親の失敗を許すために、神様から寛大な心をもらって生まれてきている」と感じたことはありません。

59

決して自分を責めないで

——子どもからの自立

子育ては、人類が取り組む仕事の中でも、もっとも重要な仕事のひとつです。幸せな子どもを育てることで、親は自分がこの世からいなくなったずっとあとも、この世の中に幸せを残すことができるのです。

そんな大事業にかかわりながら、私たちは子どもの育て方を習ったことはありません。そんな大切なことでありながら、それぞれの良識とやり方にまかされているのです。自分の親から学んだやり方を無意識にまねて、見よう見まねで私たちは子育てに取り組むしかありません。

そんな中で何か間違いがあったとしても、誰があなたを責めることができるでしょう。あなたは自分のできる最良をやっているのです。もし最良ではないと気づいたのであれば、学び改めましょう。

自分を責めてはいけません。自分を責めているときは、さらなるあやまちに向けて準備をしているだけです。

とてもすてきな子育てをしている親の中にも、子どもに対して罪悪感を抱いている人が多いのは意外です。

子どもにちょっとした暴力をふるってしまったこと、小学校のクラスで盗難事件があったときに子どもの言葉を信じずに疑ったこと、子どもの友人についてひどいことを言ってしまったことなど、中には何年も前のことを「するべきではなかった」「言うべきではなかった」と後悔しているのです。

自分を責めるのは、ある意味でとても楽なことです。

「〜べきではなかった」「〜べきだった」と、やったことやらなかったことを悔いて、罪悪感にひたり、自分を責めている間、あなたは行動を起こさずにすみます。もっと賢い親になるための努力をしなくてすむのです。何より、自分のやってしまったことや間違いを、本当には認めなくてすむのです。

「〜べきではなかった」と思っているときは、それをやった事実を本当には認めてはいません。事実を認めず、「べきではない」理想の自分の姿にすがっていることができます。

そんな悩みを打ち明けられたとき、私が提案するのは子どもと話すことです。あやまちを認め、自分を受け入れ、子どもにわび、学び、前進することをおすすめします。

それによって、子どもの中にあるかもしれないわだかまりも取り除くことができるのと同時に、そんな親の姿を見て、子どもは生き方を学びます。人とどうかかわるか、犯した間違いとどう取り組むかをあなたから学ぶのです。

勇気をもって何年も前のことを子どもにわびた父親が、「拍子抜けしました」と報告をしてくれました。子どもに「そんなこと気にしてたの？」と言われたのです。何年も自分を責めて損をしたと言うその親は、「だから、そのときそのときで、きちんと話し合ったほうがいいと学んだ」と言いました。

60 仕事をもつ親へ――仕事を子育ての言い訳にしない

――子どもからの自立

子どもが何か問題を起こすと、「親は共働きで……」と、まるで両親が働いていることが子どもの問題をつくっているかのようによくいわれます。働いている母親は、そのことに罪悪感をもってしまいます（不思議とそれはいつも母親です）。母親が働いている家では、子どもがかまってもらえないために、それで子どもが問題を起こすという考え方が成り立つのです。

では、母親が専業主婦として家にいる家庭では子どもは問題を起こさないのかと言うと、そうではありません。問題は、親が働いているかどうかではないのです。

反対に、私のまわりには、働きながら（働いているがゆえに）時間を有効に生かし、短い時間で子どもと濃密にかかわり、賢い子育てをしている母親たちがたくさんいます。彼女たちは、仕事という個人的な自己実現の場をもっているため、子どもを自分の人生を充実させる道具に使うことがありません。子どもに過剰な期待をかけたりすることもありません。もし期待する対象があるとすれば、それは子どもではなく、自分自身であることを彼女たちは知っています。

私はよく、自分にはスイッチがついていると思ったものです。子どもを預けて出勤するとき、私のスイッチが入ります。スイッチが入った私は、職場で忙しい一日を過ごします。それは子育てモードとは少し異なる、今結果を求める仕事モードです。

夜、子どもと会うと、そのスイッチは切りかわります。私は仕事の一日の緊張から解放され、ペースを落とし、効率や制限時間からも自由になって、ゆったりとした時間を子どもと共に過ごします。

そのゆったりモードは、おそらく子どもにはありがたいものなのではないでしょうか。もし私が仕事というエネルギーの発散の場をもっていなかったら、私は自分の全エネルギーを子どもに向けていたかもしれません。

それでは、働く母親にまったく葛藤がないかと言うとそうではありません。子どもが熱を出したりすると大変です。子どもを預かる人から、実況中継のように子どもの熱が上がる様子が知らされます。子どもと仕事の責任の間で、引き裂かれる思いをしながら私たちは成長してきました。

もしあなたが働いている親であるなら、働いていることを子育てにおける何かの言い訳にしないでいただきたいと提案します。働いていることを言い訳に使う人は、きっと職場では、子育てを仕事上の責任がとれない言い訳に使います。子育ても仕事もしながら、どちらにも根を張っていないのです。

働きながら子育てをすることに、罪悪感をもつ必要はありません。「仕事か子育てか」という選択はないのです。「仕事も子育ても」なのです。

もしあなたが働きたいのであれば、はっきりと働くことを選ぶことが大切です。仕事と子育ての両方にしっかりと根をおろしましょう。そうすることで、自分がいない間の子どもの世話をどうするかということも、しっかりと準備することができます。同時に、子どもと一緒にいる時間を仕事に邪魔されないような働き方を工夫することができます。

どちらにも根をおろさない親は、どちらも中途半端で、だから子どもは親の不在に寂しい思いをするのです。

61 父親のハートフルコミュニケーション

――子どもからの自立

この本には「母親」という言葉が少ないのに気づいていただけたでしょうか。ほとんど「親」という言葉を使っています。

この本を読んでいただくときは、あなたが父親なら「親」を父親に、あなたが母親なら「親」を母親におきかえて読んでいただくようにお願いします。子育て中のあなたには、この本をご自分のために読んでいただきたいのです。

人間にとって一番重要な感情である自己肯定感は、母性によって育むことができると述べました（八四ページ参照）。ところが、それだけでは子どもは自立することはできません。責任を学べないからです。

責任を教えることは、子どもによいことと悪いこと、やっていいことといけないこととの境界をはっきりと示すこと。それは父性の仕事です。子どもを心地よい母性から引き離し、責任をとることを教えるのが父性の仕事です。

そのままの自分が最高だと教える母性と、自分を抑制することを教える父性がひとつになったとき、子どもの自立はうながされるのです。

これまで、日本の高度成長期の子育てがよく問題にされました。父親は仕事に忙しく、家庭が父性の存在しない場となり、母性のみで子育てがなされた結果、問題が生じたのです。愛されすぎた子どもは好き勝手にふるまい、両親にはそれを抑制する力がありません。というより、責任を教えてもらえなかった子どもは、自分を抑制する術を知らないのです。

一九九〇年代、バブル経済が崩壊すると、世の中の父親たちは「家庭に帰れ」「子育てに参加しろ」と追い立てられました。「育児をしない男を、父とは呼ばない」というキャンペーンを覚えておられると思います。

さて、仕事をもち、経済的に家族を支えている父親の子育て参加は、どんなかたちでなされるのでしょう。仕事で忙しい父親も、早く家へ帰り、子どものオムツをかえるのが子育てでしょうか。

もちろん、そういった時間はできるかぎりとることをおすすめします。子どもの面倒をみて、子どもと遊び、子どもに大切なメッセージを伝え、子どもの中に父親の存在をつくらないかぎり、「親子」とは言えないでしょう。

そしてもうひとつ大切なことは、不在の間も、父親の存在感を高めることです。そのためには、職場においていい仕事をすることです。父親が自分の仕事に誇りをもち、子どもに対してそのことを語るとき、子どもは父親を誇りに思います。

同時にその父親の姿から、世の中に出て働くのがどういうことかを学びます。家族を養うために仕方なく働いている以上の、働く喜びや、社会や人の役に立つ喜びを子どもに見せてください。

そのとき子どもは、自分も社会に出て活躍したいと思うようになります。それこそが、働くお父さんの「ハートフルコミュニケーション」です。

62 心を開く勇気をもってサポートを求めよう

——子どもからの自立

自分が子どもの言動に腹を立てているとわかっている。でも、怒りや不安を抑えられない。子どもの話を聴こうとはしても、聴けていない。そんな自分が情けなく、認めることができない。何かにつけ内心で自分を責め、そういう自分をまた責める……そんな体験はありませんか。私にはあります。子どもの問題を解決しなくては、子どもをサポートしなくてはとあせっているうちに、実はサポートされなければならないのは自分であることを見落としてしまうのです。親といえども人の子。時としてそんな気分になるものです。

親が充実し安定していることは、子どもをサポートするうえでとても大切です。親が不安やイライラの塊であるときは、冷静に子どもの言葉を受けとることは難しいのです。

そんなときは、サポートを受けることをおすすめします。パートナー（配偶者）がサポートしてくれればとても幸せですが、それが難しい場合もあります。パートナー自身が、あなたの問題の一部である場合があるからです。

友人も頼りになる聞き手です。あなたが心を開くほど、相手もあなたに近づいてきてくれます。自分を飾る必要もなく、安心して話せる友人の存在はどんなに心強いでしょう。

専門的に力になってくれる人もいます。カウンセラーはあなたの悩みにじっくりと耳を傾けてくれるでしょう。コーチはあなたの進む方向を一緒に考えてくれるでしょう。

中には、カウンセラーに相談するなんて精神的に深刻な問題を抱えている人だけと思っている人もいるでしょう。そういったことは恥ずかしいとさえ思っているかもしれません。

そんなことはありません。自分の成長を容易にするためのサポートを受けることは、プラスはあってもマイナスはないのです。それより、子どもと自分だけで閉じこもって問題を大きくすることのほうが、よほど問題です。

子育てセミナーや講演会に出かけましょう。親たちのネットワークに参加しましょう。そこには、同じように子育てに取り組んでいる親たちがいます。

お父さんにもお願いです。妻に「子育てをまかせる」という一見きれいな育児放棄はやめて、できるときは妻と一緒に、妻を誘って学びに出かけてください。子育てを通して、親として、一人の人として自分が成長し続けることがいかに重要であるかを学ぶでしょう。

サポートを求めることは弱さを意味しません。自分の心を開く勇気を意味するのです。

63

親は変わらない。自分を変えよう

――親からの自立

ハートフルコミュニケーションは、親のコーチとしての能力を伸ばすことを目的にデザインされました。ですから多くの場合、自分が親として子どもとどのように対応するかが話題の中心です。

ところが、参加者のみなさんやコーチングを受けるみなさんが必ずと言っていいほど一度は話し合うのが、自分と自分の親との関係です。

自分自身を親として見るときに、同時に自分を育てた親からの影響を考えるのです。親の人生を振り返り、自分との関係を振り返るのは大変意味のあることです。

親の対応に大変傷ついている人たちがいるのも事実です。

ある子育て中のお母さん、Hさんの話です。Hさんは一人娘に暴力をふるうことがあります。聞いていくと、Hさん自身も育つ過程で母親の暴力に傷ついていました。母親は気性が激しく気分屋で、Hさんはよくほかの兄妹と比較され、いかに自分はできの悪い子であるかを教えられたと言います。父親はおとなしい人で、彼女をかばってはくれませんでした。

そんな両親から、高校卒業と同時に独立したHさんは、結婚をし、子どもも生まれました。ところが、子どもが一歳を過ぎるころから精神的に不安定になり、子どもに暴力をふるうようになりました。いけないとわかっていながら、自分を止めることができません。それほど激しい暴力ではないので、このぐらいどこの親でもやっていると言い訳をすることもあります。

Hさんは自分の暴力が、自分が受けてきた暴力と関係があると考えていました。娘に対する暴力を終わりにするためにも、母親に対して自分がどんなにつらい思いをしてきたかを伝えたいと言いました。

「母は自分が私に何をしたかわかっていないんです」

Hさんはそう言います。

「あなたのつらかった思いをお母さんに伝えて、あなたは何を得たいの?」と質問すると、Ｈさんは「謝ってもらいたい。自分のやったことを認識してほしい。私の苦しみの根源があの人にあることをわかってほしい。あの人に変わってほしい」と言います。「もし、お母さんにその思いを伝えたら何が起きるかな？」と聞くと、しばらく考え、「理解しないかもしれない。反対に傷ついて私の被害者になるかもしれない。あんなに一生懸命育てたのにって……」。

しばらくあとに、Ｈさんはお団子をもって母親を訪ねました。目的は母親とゆっくりお茶を飲むことでした。帰ってきた彼女は言いました。

「きっと母は変わらないでしょうね」

夢中になって旅行の写真を見せる母親は、まるで子どものようだったとＨさんは言います。

「あの人は無知なだけだったんですね。自分の暴力や一言一言の言葉が娘にどんな影響を与えたかなんて、考えもしなかったんでしょう」

Ｈさんは母親を変えるかわりに、自分を変えることを選びました。今の自分を母親のせいにするのをやめて、もっと幸せになると決心したのです。そのために彼女が決めたことのひとつは、母親に近づくことでした。

64 今、親に自分の気持ちを正直に話す

——親からの自立

親の無知によって親から傷つけられてきた子どもは、親のぬくもりを求めながらも、なるべく親と距離をおく努力をしてきています。

前の項のHさんもそうでした。高校を卒業すると、親から逃げるために家から通えないところに就職したと言います。小さいころから母親と親密な関係にあったのは、彼女の妹でした。母親は妹をかわいがり、Hさんは妹が愛情のすべてを独占していると感じたものです。

母親とは距離をおいて生きてきたので、母親が本当はどんな人か、彼女がどんな人生を生きてきたかをあまり知らないとHさんは言います。Hさんはどんなに困ることがあっても、絶対に母親にだけは相談しないと決めて生きてきました。

そんな彼女が今取り組んでいるのは、一～二カ月に一回は、二時間かけて実家

にいる母親に会いに行くことです。母親をもっとよく知るために、Ｈさんは母親の好物のお団子をもって会いに行きます。

Ｈさんが母親と本当に率直なコミュニケーションをとるということは、昔、母親がＨさんに対して何をしたか、何をしなかったか、ということを一つ一つ数えあげていくことではありません。それについて話し合うことではありません。

大切なのは今というときに、自分の気持ちを正直に話すことです。それは子どものときにはできなかったことです。でも、今のＨさんにはその冒険が必要なのです。母の言葉に誠意をもって耳を傾け、自分を正直に語り、母親の言葉に率直に異議をとなえます。

母親はこれまでと違うＨさんの様子に抵抗するかもしれません。腹を立てるかもしれません。

でも、Ｈさんの目的は母親を変えることではありません。過去を変えることでもありません。母親との付き合い方を変え、母親から受けた言葉の暴力の結果を変えることにあるのです。

母親はＨさんの気持ちを知ってか知らずか、これまで以上に訪ねてくれたＨさんに対して、喜びを隠さないそうです。そのくせ、言葉の暴力も変わらないようです。

「子どものころに、このぐらい私の存在を喜んでくれていたら……」

でも、Hさんと母親の関係は今始まりました。

そして、Hさん自身も、娘との関係を変えています。娘に暴力をふるいそうになると、その前に気づき、自分をコントロールできるようになってきたと言います。

Hさんのように、自分と子どもの関係がうまくいかないことや、自分が自分を愛せないことを、親から受けた影響のせいにし、親を責める人がいます。

確かに、親の影響は大きいとハートフルコミュニケーションでもお伝えしてきました。でも、過去は変えられないのです。過去に戻って何をしてくれなかったかを言ったところで何も起こりません。

それでも、どうしても伝えたいと言う人がいます。そんな人には質問をします。

「あなたはどうしてほしかったの？」

最後に出てくる言葉は、「かわいいって言ってほしかった。好かれていることを知りたかった。愛されたかった」。私はそれを伝えることをおすすめしています。

親は彼らの知っている方法で子どもを育てたのです。それは子どもを幸せにはしませんでした。でも、彼らは、それ以外の方法は知らなかったのです。

65

一定の距離をおいて親と対等に付き合う

――親からの自立

一見贅沢《ぜいたく》とも思える、こんな悩みをもつ人もいます。

Kさんは愛されて育ちました。母親の干渉をうっとうしく感じ、大学に入ったときから憧《あこが》れの一人暮らしを始めました。働き始めるようになっても、両親は部屋代の支払いを肩代わりしてくれ、仕送りも続けてくれました。洋服もブランド物のバッグも、欲しいとねだれば、母親は「あなたはもう、仕方ないわね」とうれしそうに文句を言いながら買ってくれました。

結婚をして子どもが生まれると、親からの援助はもっとひんぱんになりました。現金だけではなく、子どもの洋服やおもちゃなど、家の中は親からもらった物であふれています。援助を受けていることは夫には内緒にしていたのですが、すぐにバレて、これ以上援助を受けないようにと言われています。Kさんの中にもずっと、自分は親を利用しているという漠然とした罪悪感がありました。

同時に、母親の押しつけがましさがますます鼻につき始めています。子どもに買ってくれた洋服にちょっと注文をつけると、「何言ってるの。あなたたちにこんなブランド物買えないじゃないの。文句言わずに着せなさい」。

援助を受けているかぎり、母親の恩着せがましさを我慢するしかありません。Kさんは、援助を辞退したい気持ちと、援助なしにやっていけるのかという不安の中で揺れています。同時に、援助を辞退することで、両親をがっかりさせるのではないかという恐れを抱いてもいるのです。

Kさんのお母さんは、愛情の一部として、惜しみなく物や現金を与えてきました。Kさんもずっとうまくそれを利用してきたのでしょう。彼女が自立して生活していくためには、こうした親からの援助を辞退しなければなりません。

Kさんは親の過保護を受け入れることで、親に借りをつくっています。ですから、母親の押しつけや恩着せがましさも我慢しなければなりません。母親は、お金や物を押しつけることで、無意識に娘をコントロールしています。

Kさんが今学び始めているのは、母親に「ノー」を言うことです。と同時に、長い間親の援助によって楽に暮らしてきましたから、ある物で暮らすことを学ばなければなりません。

ひんぱんに行き来していたのも減らし、Kさんは母親のいない生活をつくり始めています。最初の不安は消え、今彼女は本当の自由を感じ始めていると言います。

長い間、親から経済的援助を受けてきた人は、突然それをやめるのは難しいかもしれません。自立を望むのであれば、まず決意し、時間をかけても計画をし、お金をもらわない生活を目指すのがいいでしょう。

借りているお金も必ず返すようにしてはいかがでしょう。何も借りがない状態ができたとき、あなたは親と対等に付き合うことができます。

ある一定の距離をおいて、相手を冷静に見ることができれば、親との関係に新たな選択が登場します。また、対等な立場で親を愛することができるのです。

66

親だって乗り越えられる。親の強さを信じよう

——親からの自立

親に近づくか、遠ざけるかは別として、親と率直に話すのを恐れる人がいます。本当のことを言うと、親が傷つくのではないかと思いこんでいるのです。「あなたがそんなことするから、お母さんは困ってるのよ」とか「お前のせいでお父さんは怒ってるんだぞ」と、小さいころから親の不機嫌は自分のせいであると思わされてきた人は、常に親を困らせないよう悲しませないよう、親との関係で緊張を求められています。

また、親に愛されすぎ、ヘルプされすぎてきた子どもは、親があんなによくしてくれたのに、親が喜ばないかもしれないことをしたり、自分の本当にしたいことをするのは親を裏切ることになると思いこんでいるのです。

二三五ページのHさんは、母親に対する自分の態度や表現の仕方を変えまし

た。母親に近づき、はっきりと異議をとなえ、違うことは違うと言い、自分の考えを率直に伝え始めました。それでも母親は傷ついてはいないことを発見しました。

それどころか、Hさんの毅然《きぜん》とした態度に一目おき始めた様子です。それまで、母親の言葉の暴力におびえていたHさんとは違う彼女を、彼女自身も、そして母親も気に入り始めているようです。

それは、二四二ページのKさんも同じでした。Kさんの場合は母親を遠ざけました。金銭的援助を断り、接触も減らしました。それでも母親は今までと変わらず元気です。お金を渡せなくなっても、これまでほど娘と会う機会がなくても、旅行も行けば、家のリフォームもし、母親は自分のペースで生活を楽しんでいるのです。

Kさんは言います。

「援助を断ったら、もっと母親ががっかりすると思っていたのに、傷ついたらどうしようと心配していたのに、あれは私の勝手な思いこみだったのかしら」

一四八ページに登場したNさんは、母親に対する自動的なイライラのスイッチを切ったために、これまで以上に母親と過ごす時間が増えました。Nさんを訪ねてくる母親が帰ろうとすると、以前はほっとしたものですが、今は「もう一晩泊まっていけば」と言ってしまうそうです。

一緒に過ごす時間が長くなると、母親のうとましい言動と付き合うことも増えるわけです。ところがNさんのイライラのスイッチが入ることはありません。「何言ってるの」と厳しい言葉で母親に言い返すことも多いようです。

若いころは、このように母親に厳しい言葉を投げかけるのが怖くて、母親を避けていたのです。今、Nさんは母親を避けません。避ける必要がなくなりました。素直に愛することも、ぶつかり合うことも怖くなくなったのです。

Nさんは言います。「親って強いのね」。

親を傷つけることを恐れてきたNさんは、自分の対応が多少変わっても、親は傷つくことなどないと学んだそうです。

「たとえ傷ついても、それを乗り越えるだけの強さを親はもっているのね」

おわりに――「ひび割れ壺」の物語

アメリカ人の恩師であり友人である人から、メールが届きました。彼の友人から送られてきたメールに、心温まる話が添付されていたので、それをやはり添付で送りますとのこと。

この話を読んだとき、これはまさにハートフルコミュニケーションだと私は思いました。そこで翻訳した物語をみなさんに贈ります。

「ひび割れ壺《つぼ》」

インドのある水汲《みずく》み人足は二つの壺をもっていました。

天秤棒の端にそれぞれの壺をさげ、首の後ろで天秤棒を左右にかけて、彼は水を運びます。

その壺のひとつにはひびが入っています。もうひとつの完璧な壺が、小川からご主人様の家まで一滴の水もこぼさないのに、ひび割れ壺は人足が水をいっぱい入れてくれても、ご主人様の家に着くころには半分になっているのです。

完璧な壺は、いつも自分を誇りに思っていました。なぜなら、彼がつくられたその本来の目的をいつも達成することができたから。

ひび割れ壺はいつも自分を恥じていました。なぜなら、彼がつくられたその本来の目的を、彼は半分しか達成することができなかったから。

二年が過ぎ、すっかり惨めになっていたひび割れ壺は、ある日、川のほとりで水汲み人足に話しかけました。

「私は自分が恥ずかしい。そして、あなたにすまないと思っている」

「なぜそんなふうに思うの？」

水汲み人足はたずねました。

「何を恥じているの？」

「この二年間、私はこのひびのせいで、あなたのご主人様の家まで水を半分しか運べなかった。水が漏《も》れてしまうから、あなたがどんなに努力をしても、その努力が報われることがない。私はそれがつらいんだ」

壺は言いました。

水汲み人足は、ひび割れ壺を気の毒に思い、そして言いました。

「これからご主人様の家に帰る途中、道端に咲いているきれいな花を見てごらん」

天秤棒にぶらさげられて丘を登っていくとき、ひび割れ壺はお日様に照らされ美しく咲き誇る道端の花に気づきました。花は本当に美しく、壺はちょっと元気になった気がしましたが、ご主人様の家に着くころには、また水を半分漏らしてしまった自分を恥じて、水汲み人足に謝りました。

すると彼は言ったのです。

「道端の花に気づいたかい？　花が君の側にしか咲いていないのに気づいたかい？　僕は君からこぼれ落ちる水に気づいて、君が通る側に花の種をまいたんだ。そして君は毎日、僕たちが小川から帰る途中水をまいてくれた。この二年間、僕はご主人様の食卓に花を欠かしたことがない。君があるがままの君じゃなかったら、ご主人様はこの美しさで家を飾ることはできなかったんだよ」

（作者不詳　菅原裕子訳）

私たちはみな、それぞれユニークなひび割れをもっています。
私たち一人一人がひび割れ壺なのです。
私たちの仕事は、子どものひびを責めることではありません。
自分のひびを責めることでもありません。
子どものひびのために花の種をまくこと、それこそが親の仕事です。
子どもたちはどんな花を咲かせてくれるでしょう。
そして、私たち親はどんな花を咲かせるでしょう。

著者紹介

菅原裕子（すがはら　ゆうこ）

1952年、三重県生まれ。NPO法人ハートフルコミュニケーション代表理事。有限会社ワイズコミュニケーション代表取締役。

1977年より人材開発コンサルタントとして、企業の人材育成の仕事に携わる。従来の「教え込む」研修とは違ったインタラクティブな研修を実施。参加者のやる気を引き出し、それを行動に結びつけることで、社員と企業双方の成長に貢献。

1995年、企業の人育てと自分自身の子育てという2つの「能力開発」の現場での体験をもとに、子どもが自分らしく生きることを援助したい大人のためのプログラム〈ハートフルコミュニケーション〉を開発。各地の学校やPTA、地方自治体主催の講演会やワークショップでこのプログラムを実施し、好評を得る。

主な著書に、『思春期の子どもの心のコーチング』『マンガでわかる！　子どもの心のコーチング【実践編】』（以上、リヨン社）、『上司と部下の人間学 コーチングの技術』（講談社現代新書）、『「やる気」のコーチング 部下との距離を縮める“場づくり”のすすめ』（PHP研究所）などがある。


＜ハートフルコミュニケーションHP＞http://www.ys-comm.co.jp/ys-comm/heartfulcommunication/

この作品は、2003年6月にリヨン社より刊行された。

PHP文庫 子どもの心のコーチング
一人で考え、一人でできる子の育て方

2007年10月17日 第1版第1刷
2013年8月6日 第1版第68刷

著者 菅原裕子
発行者 小林成彦
発行所 株式会社PHP研究所
東京本部 〒102-8331 千代田区一番町21
文庫出版部 ☎03-3239-6259(編集)
普及一部 ☎03-3239-6233(販売)
京都本部 〒601-8411 京都市南区西九条北ノ内町11
PHP INTERFACE http://www.php.co.jp/
組版 朝日メディアインターナショナル株式会社
印刷所 凸版印刷株式会社
製本所 凸版印刷株式会社

© Yuko Sugahara 2007 Printed in Japan
落丁・乱丁本の場合は弊社制作管理部(☎03-3239-6226)へご連絡下さい。
送料弊社負担にてお取り替えいたします。
ISBN978-4-569-66893-2

PHP文庫好評既刊

しつけの知恵

手遅れにならないための100の必須講座

多湖輝 著

悪戯好きな子、約束を守らない子。そんな子供たちこそ正しく接すれば素直で元気な子供に育つもの。大反響をよんだ子育ての知恵100。

定価六二〇円
（本体五九〇円）
税五%

PHP文庫好評既刊

頭のいい子が育つパパの習慣

清水克彦 著

「子どもの前で辞書を引こう」「子どものために会社を休もう」など、父親がどんな生活をすれば、子どもの学力がアップするのかを紹介。

定価五六〇円
（本体五三三円）
税五％

PHP文庫好評既刊

頭のいい子のパパが「話していること」

清水克彦 著

「『今日の給食は何だった?』ときこう」「会社であったことを子どもに話そう」など、子どもの学力を高める60の話し方を紹介!

定価五四〇円
(本体五一四円)
税五%